W9-AQQ-355

SHOWman
czyli
spowiedź świra

Mam furę, komórę,
karierę, rodzinkę...
lecz zawsze będę
maminsynkiem.

Mojej Mamie

Fotografie w książce pochodzą z archiwum rodzinnego Szymona Majewskiego,
z wyjątkiem zdjęć udostępnionych przez Agencje TVN.
TVN Agencja W&G – s. 9, 12-13, 20-21, 26, 27, 59, 69, 74-75, 82, 88-89, 99, 102
TVN Cezary Piwowarski ZOOM – s. 41, 44, 117
Fotografia na okładce – Krajowa Agencja Prasowa i Fotograficzna (KAPiF)

Projekt graficzny okładki – Hanna Polkowska
Realizacja projektu – Hanna Polkowska, Marek Nitschke
Redakcja – Agnieszka Lesiak
Korekta – Agata Mikołajczak, Małgorzata Matuszewska, Eleonora Mierzyńska-Iwanowska

ISBN 978-83-245-1296-6
PUBLICAT S.A.
61-003 Poznań, ul. Chlebowa 24
tel. 061 652 92 52, fax 061 652 92 00
e-mail: office@publicat.pl
www.publicat.pl

Rozmawiała – Agnieszka Lesiak

Gość bliżej aniołów

Zawsze odstawałem. Weźmy choćby zdjęcie z Pierwszej Komunii... Po prostu widać, że oto stoi „dotknięty". Sto osób z parafii św. Jakuba na Ochocie wygląda normalnie i ma normalne miny, jedyny, co się wykrzywił, to właśnie ja. Każdy mnie znajdzie na tej fotografii.

W szkole byłem chudy, cienki, blady – cera papierowa, patykowate nóżki. Nazywali mnie Piszczel lub Sroczka. Miałem kiepskie dżinsy i małą klatę. Cóż, w tej sytuacji mogłem wybrać tylko indywidualny zespół zadań.

Na przykład na boisku nie funkcjonowałem w zespole. Śmiesznie wyglądało, jak biegałem. W dodatku nie miałem dobrego obuwia, tylko kalosze. Nosiłem okulary. Zostałem bramkarzem. Bramkarz może albo stać i czekać na akcję, albo się popisać paradą, a jak sobie tę paradę zorganizuje – zależy tylko od niego. I jest inny. Spójrzmy choćby na Dudka. Mało który z piłkarzy jest w stanie sklecić zdanie. Dudek wśród nich to Wiśka Szymborska. Nawet wygląda inaczej niż piłkarze. Podejrzewam, że on na przykład nie wysmarkuje kataru na murawę, choć też jest zielona. Jego można ubrać w garnitur i wysłać do królowej angielskiej, żeby jej dawał czekoladki. Poza tym bramkarz więcej czasu spędza w powietrzu niż na ziemi, to taki gość bliżej aniołów.

Ja też byłem dobry na swój własny sposób. Nie mogłem tradycyjnie zaskarbić sobie sympatii dziewczyn, bo gdy zakładałem spodenki, dziewczyny nic pod tymi spodenkami nie widziały. Pamiętam komentarze: „Czy ty coś tam w ogóle pod tymi spodenkami masz?". Czym mogłem je pozyskać?

Tylko humorem. Uwielbiałem, jak wszystkie się śmiały. By ten efekt uzyskać, robiłem cokolwiek – numer, minę, wydawałem dźwięk.

To żarty pomagały mi zdobyć przyjaciół, ludzie mnie lubili. Nawet kolesie ze starszych klas, którzy generalnie gnębili młodszych, mnie dopuszczali do swojego grona. Na dyskotece pozwalali mi tańczyć w swoim kółku przy dźwiękach Animalsów. To było niczym pasowanie na rycerza.

* * *

Twoje pierwsze wspomnienie z dzieciństwa?

Jakie może mieć chudy chłopak? Oczywiście związane z jedzeniem.

Pamiętam przymus jedzenia w przedszkolu i moje dywagacje, co tu zrobić, żeby jednak nie zjeść. Chowałem mięso pod kasetki.

Gdzie?

Pod stolikami w przedszkolu szybko wymacaliśmy różne zakamarki.

Te dziury były przez wiele miesięcy zajęte, więc codziennie przy obiedzie trzeba było wyszukać nową, taką, która się wykruszyła, albo taką, której wcześniej w ogóle nie było.

Opracowałem kilka sposobów unikania jedzenia. Na przykład można było zostawić kartofle, maskowałem więc szpinak pod kartoflami, ewentualnie mieszałem go z nimi na zielonkawą papkę.

Za to na podwórku apetyt mi dopisywał. Gdy zaczynałem być głodny, a nie chciało mi się wracać do domu, wyjadałem chleb dla gołębi. Instynktownie omijałem zielone miejsca. Kiedy przy okazji rozmowy o tej książce opowiedziałem o tym mamie, zadrżała: „Szymuś, jak to napiszesz, ludzie pomyślą, że cię głodziłam".

W socjalistycznym przedszkolu z powodu chudości był ze mną problem przy każdej wizycie u higienistki. Wtedy premiowano chłopców, którzy mieli wyrosnąć na wielkich byków, co to w przyszłości postawią naszą Ojczyznę na nogi. Uznawano, że wagą bardziej pasuję na zabiedzone dziecko francuskie albo angielskie. Byłem poza wszelkimi socjalistycznymi normami, co oczywiście w gabinecie pielęgniarskim oceniano jako zaniedbanie mojej mamy. Widać jej ta trauma pozostała.

Problemy miałem też z leżakowaniem, bo nie chciało mi się spać. I z konfabulacją!

Już w przedszkolu?

Codziennie wymyślałem rzeczy, które nigdy nie miały miejsca. I raczyłem tymi opowieściami panie. Mówiłem na przykład, że dziś w drodze do przedszkola byłem świadkiem pożaru – byli tam strażacy, a strażak jeden miał sikawkę taką, a drugi miał czerwony kask i powiedział do mnie, żebym się przesunął. A dom się palił i była w nim pani z dzieckiem, i uratował ich pan, który się wspiął po balkonach. Opowiadając, miałem łzy w oczach, sam nabierałem przekonania, że to wszystko widziałem.

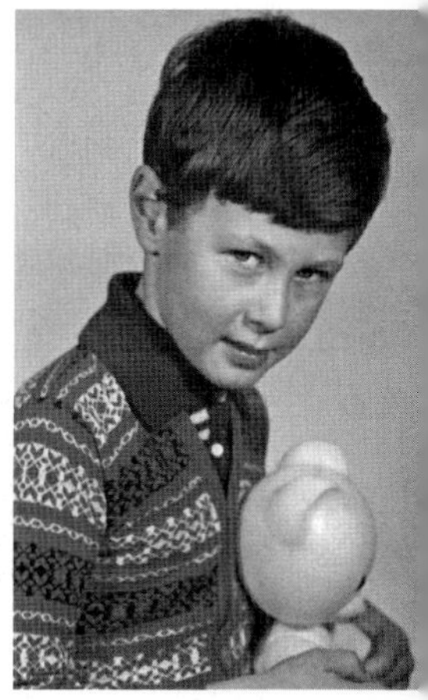

Nie uczestniczyłem z kolei w zabawach zbiorczych, które mnie… zawstydzały. Na przykład słynne zabawy, którymi parał się mój znajomy Tomek, dziś znany dziennikarz, polegające na wrzucaniu dziewczynkom mrówek w majtki.

Tomek łapał i mrówkę, i Agnieszkę, w której wszyscy się wtedy kochali, i wrzucał jej tę mrówkę. Do dziś pamiętam zdjęte majteczki i mróweczkę chodzącą po pupie. Ja stałem z boku i patrzyłem. To postawa dość średnia – bo albo trzeba było jej bronić, albo też wrzucać.

Rok 1974 – zakończenie przedszkola.

Oczywiście wierzyłem w czarną łapę, czarną wołgę i takie historie. Czarna łapa czatująca na niegrzeczne dzieci mieszkała na górce w moim pięknym przedszkolu, które miało supergenialny ogródek – wielki, wręcz olbrzymi.

Miałem swoje ulubione panie, jedna nosiła dziwne imię Gertruda. Strasznie mnie to imię inspirowało.

A, i jeszcze pamiętam chłopca, który zrobił kupę w majtki i zaczął z tą kupą uciekać, a całe przedszkole go goniło. I Waldka, z którym wszyscy chcieli się bawić, a ze mną chcieli się bawić tylko wtedy, kiedy przynosiłem resoraki. Choć u nas się nie przelewało, miałem dużo resoraków, i wszystkie w tym przedszkolu poginęły.

Pamiętasz swoje podwórko?

Pewnie. Takich podwórek już nie ma. Nasza kamienica to był klasyczny kwadrat ze studnią w środku. Budynek, który przed wojną kupił mój dziadek będący jednym z szefów Banku Rolnego. Dziadek, ekonomista z wykształcenia, pracował w tym banku po zakończeniu kariery oficerskiej. Został jednym z szefów administracyjnych i kupił kamienicę dla pracowników. Wtedy ten dom stał na obrzeżach Warszawy – teraz znajduje się w samym centrum, na starej Ochocie. Gdy byłem mały, w kamienicy mieszkali jeszcze emerytowani pracownicy banku. Po wojnie myśmy tam dostali małe mieszkanko i dlatego przeprowadziliśmy się z Żoliborza, na którym, w okolicy placu Wilsona, do tej pory mieszka cała moja rodzina.

Jak dokonywałem odkryć, broniłem gołębi i dubbingowałem psy

Już w podstawówce nie znosiłem uczenia się na pamięć, przepisywania z książek do zeszytów i takich tam... tego całego odrabiania lekcji! Miałem za to pasję, która umilała mi pobyt w moim pokoju, w czasie gdy teoretycznie miałem się uczyć. **Obserwowałem okolicę przez starą wojskową lornetkę dziadka. Do tego miałem ciągoty archeologiczne. Wydawało mi się, że zostanę archeologiem.** Wykopywanie różnych rzeczy z ziemi fascynowało mnie od czasu, gdy na wakacjach spędzonych z dziadkiem udało się nam wykopać toporek z okresu neolitu.

Byłem na biwaku z dziadkiem i kuzynem Pawłem. Teren był ukształtowany trochę jak kurhan. Mój kuzyn kopał latrynę w lesie i wykopał fragment toporka – wygładzony szary kamień z dziurką na drzewce, ze wzorkiem. Dziadek i kuzyn zanieśli ten fragment do muzeum archeologicznego i oni to wzięli jako supereksponat.

Postanowiłem zdyskontować ten sukces. Oczywiście już nie mogłem wykopać toporka z neolitu, ale co innego jak najbardziej. Pewnego dnia robotnicy pod moim domem zaczęli wykopywać rury. Oczywiście przez większą część dnia nie kopali, a leżeli – pod wpływem browaru – porozrzucani pod naszymi oknami. Wtedy przez lornetkę dostrzegłem w wykopie dziwny kształt.

Klasa IV, rok szkolny 1977/1978. Karnawałowa zabawa przebierańców. Ojciec zrobił mi strój ułana.

Pobiegłem tam, jak tylko zeszli z budowy, i znalazłem ładownicę z nabojami z okresu II wojny światowej. To była skórzana ładownica z pasem, pełna nabojów. Wzorem dziadka zaniosłem to do Muzeum Wojska Polskiego. I dostałem potem pismo z podziękowaniami za wspaniałą postawę. Rozumiem, że dziękowali mi za to, że tych nabojów nie zdetonowałem i nie straciłem ręki. Dziadzio był ze mnie dumny, a na uroczystym apelu na zakończenie roku szkolnego odczytano podziękowania od Muzeum dla ucznia Szymona Majewskiego.

Nie wszystkie moje działania „zamiast lekcji" były tak chlubne.

Często strzelałem z procy w koty. Robiłem to, cholera! Co gorsza, strzelałem z zakręconych gwoździków, czyli „hacli". Miałem teorię, że chciałem dobrze, bo nasze podwórkowe koty dosyć często atakowały gołębie i nawet je zjadały. W swoim mózgu 11-latka wymyśliłem, że jestem obrońcą gołębi.

Robiłem też w domu eksperymenty chemiczne. Instynktownie starałem się zadbać o bezpieczeństwo, więc wszystkie one rozgrywały się w muszli klozetowej. Gdy tylko zaczynało się dymić albo palić, spuszczałem wodę. W końcu klozet pękł. Już w tym momencie ostrzegam rodziców, nie polecam dalszej lektury tej książki Waszym dzieciom.

Inną moją ulubioną zabawą było dubbingowanie psów. Zamiast czytać czy liczyć, obserwowałem włóczące się po ulicy psy, a mam do psów słabość od zawsze. Śmiało można powiedzieć, że jestem psiarzem. I dziś mogę godzinami patrzeć, jak moja Luśka relaksuje się na przykład z łapami na ścianie. Wtedy obserwowałem bezpańskie psy i dubbingowałem je.

Widziałem, że idą dwa stare, ochockie psy, bardzo już zużyte: jeden kuleje, drugi z ropiejącym siedzeniem, oba wykudlone

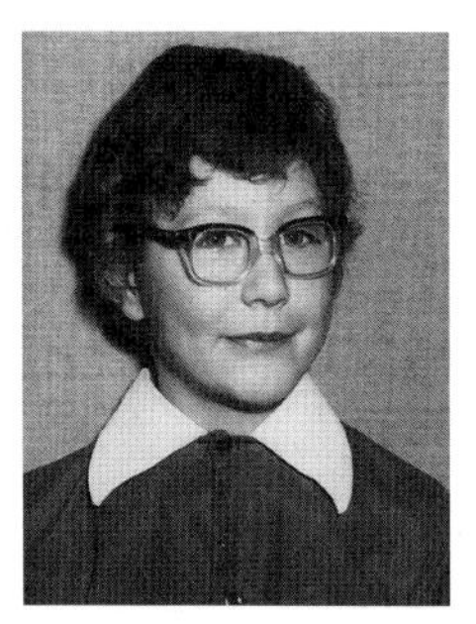

i bez połowy uzębienia. Te dwa doświadczone przez życie psy szły sobie przez Ochotę, a ja oglądałem je przez lornetkę dziadka i układałem sobie w głowie dialogi, które prowadzą:

„Stary, to co – idziemy w lewo?"

„Nie, chodźmy w prawo, tam jest fajny sklep, może coś dostaniemy do jedzenia".

„Nie, no nie chce mi się. Tam już byliśmy godzinę temu, a może byśmy tutaj chwilę poleżeli?"

Kładą się.

„No i co, leżymy, i co będziemy teraz robić?"

„No, będziemy leżeć, powspominamy dobre czasy".

Albo idą dwa psy i jeden pyta drugiego:

„Widziałeś ostatniego Bolka i Lolka?"

„Nie, stary – szkoda gadać".

Gdy widziałem, że w stronę tych psów idzie facet, to wprowadzałem i jego do dialogu:

„O, patrz, idzie nasz dozorca".

Klasa IV, rok szkolny 1977/1978.

„To ten dozorca spod trójki, to baran, kurde, zawsze nas przegania".

„Co byśmy mu zrobili?"

„Nic, już mu kiedyś pogoniłem koty z jego podwórka, ale, cholera, się nie odczepił".

„Uważaj, bo już idzie. O, zaraz nas przegoni".

I wtedy do dialogu włączał się dozorca. Potrafiłem tak przez pięć-dziesięć minut dialogować między tymi psami – we własnej głowie albo na głos.

Do tej pory, gdy jestem na wsi i widzę, że idzie pies, to myślę sobie w jego imieniu: „Dobra, to co, pójdę tu? Albo tam? O nie, tam stoją owce, nie chce mi się na nie patrzeć. O kurde, znowu ci przyjechali"...

Pies ma emocje wypisane na pysku. Człowiek pewne rzeczy ukrywa, u psa widać, o czym myśli.

* * *

Dużo miałeś psów przed Luśką?

Psy były w domu zawsze. Z tym, że te psy z reguły miały wypisane w gwiazdach czarne scenariusze. Na przykład Misiek, legenda w rodzinie, zginął rozjechany przez tramwaj, jeden z pierwszych, które puszczono na Ochocie. Miałem też psa Kulusia. Kuluś był niesforny. Zjadał obuwie i inne części garderoby. Wreszcie został oddany przez mojego dziadka gdzieś do domu z ogrodem.

W ogóle w rodzinie dużo się o psach mówiło. Mój ojciec opowiadał, że miał psa, który reagował na hasło: „Na rydwany". Jeśli krzyczało się „Na rydwany", natychmiast rzucał się do galopu.

Ja Luśkę nauczyłem szybszego konsumowania zawartości jej miski. Jeśli nie chciała czegoś zjeść, podchodziłem na czworakach do jej miski, warcząc, że niby chcę jej zabrać. Teraz wystarczy, że siedzę w drugim końcu pokoju i robię „wrrrrr", a ona już idzie do miski i pilnuje, żebym jej

W moim pokoju na Ochocie z suką Muchą.

czegoś nie zjadł. Uznała, że ma drugiego psa w domu, więc na wszelki wypadek woli zjeść wszystko sama.

Dialogi psów z dozorcą... od małego byłeś dowcipny.

To, że humor może być straszną bronią i że można się go obawiać, zauważyłem bardzo wcześnie. Humorem zjednywałem sobie ludzi i robiłem wrogów.

Gdy byłem w klasie a, zawsze załapywałem się na konflikt z klasą b. Ilekroć trafiałem do jakiejś klasy, była ona chuda, lepiej się uczyła, dziewczyny jeszcze wyglądały dziecinnie, faceci mieli wątłe ramionka i chodzili w dżinsach po starszych braciach. Klasa b zawsze była rozrośnięta, lepsza fizycznie. Takie byki, rosomaki ganiające, grające w piłkę i rozstawiające wszystkich po kątach. I oczywiście bijące klasę a. Tak miałem w podstawówce i tak miałem w liceum.

Ja nie byłem „fizolem"...

???

...bykiem, więc miałem jedno wyjście. Poczuciem humoru walczyłem. I ci, którzy lubili moje poczucie humoru, mnie bronili. Miałem chody u starszych klas, u gości kumatych, którzy otaczali mnie „kordonem sanitarnym", żeby ludzie o innym poczuciu humoru nie byli w stanie się do mnie dobrać.

A jednocześnie za każdym razem, kiedy trafiałem na gości z jakimś zwojem troszkę pomniejszonym, to były problemy, bo oni reagowali bardzo agresywnie.

Wielokrotnie okazywało się, że wcale nie trzeba nadepnąć na but, ochlapać błotem czy uderzyć piłką w twarz. Wiedziałem, kogo dwoma zdaniami mogę doprowadzić do tego, że będzie chciał mnie tłuc.

Był w klasie b taki koleś bykowaty, rozrośnięty. Dziewczyny wtedy mocno zwracały na niego uwagę: zawsze opalony, miał trochę przestawiony nos i zawsze napompowane, napęczniałe mięśnie. I on, jak to zwykle bywało, był niższy ode mnie, sięgał mi do pępka. Strzeliłem wtedy do góry, więc oprócz tego, że miałem, kurczę, to poczucie humoru, jeszcze rzucałem się w oczy. Byłem… inny. Trochę dłuższe włosy, generalnie prowokowałem. A że potrafiłem dwoma zdaniami spowodować, że pół boiska zaczynało się z gościa śmiać, on nie mógł tego wytrzymać.

Wielokrotnie miałem propozycje sklepania mi miski, wielokrotnie musiałem po prostu zwiewać. Akurat biegałem szybko, miałem tę przewagę.

Co mu mówiłeś?

Cokolwiek. Stoję na bramce, on biegnie, strzela we mnie i trafia 40 metrów dalej. Mówię słodziutko: „Jacek, słuchaj, nie wiem, czy zauważyłeś dobrze, ale bramka nie stoi tam, tylko stoi tu, dokładnie tu, gdzie ja". Wystarczyło coś takiego powiedzieć.

Ania Górska – moja pierwsza miłość

Z Anią Górską chodziłem do szkoły podstawowej. Klasyczna piękna blondynka. Urzekło mnie, że nosiła fajne sukieneczki, a nie spodnie jak tak zwane chłopiary. Była najpiękniejsza w klasie.

Dziś mieszka w Belgii, wyszła za Belga dawno temu. Swego czasu bardzo interesował się nią między innymi Robert Gawliński. Wiem, że chodził do niej smalić cholewki. Nawet z nim niedawno rozmawiałem na ten temat i też pamięta Anię Górską.

Ania, zanim zaczęła być muzą najpierw undergroundowych, a potem overgroundowych muzyków, była po prostu normalną dziewczyną. A ja dosyć wcześnie zacząłem zwracać uwagę na to, że oprócz tego, że jestem chłopcem i fajnie jest zagrać z kumplami w piłkę i postać na bramce, to jeszcze superfajnie jest od czasu do czasu zajrzeć w oczy jakiejś dziewczynie. **Dosyć szybko odkryłem, że to są właściwie fajne istoty. Dużo czasu spędzałem z dziewczynami i miałem z nimi dobre układy.** Z dumą mogę powiedzieć, że mój 12-letni syn też się z dziewczynami świetnie dogaduje. Mnie w szkole nazywali „babskim królem". Do tej pory mi to zostało, moja żona ma kilka przyjaciółek i ja uwielbiam z nimi siedzieć i rozmawiać o wszystkim, po prostu uwielbiam. Śmieszy mnie, że ci wszyscy twardzi macho tak bardzo lubią towarzystwo facetów. Czy to czasami nie ukryte gejostwo?

W szóstej klasie wszyscy inni chłopcy jeszcze myśleli tylko o tym, że chcą być strażakami, widzieli się w roli piłkarzy albo bankierów milionerów. A ja któregoś dnia zobaczyłem, że w klasie od sześciu lat jest dziewczyna, która ma strasznie delikatną twarz, piękne niebieskie oczy, jest drobną blondyneczką. Trochę czeska uroda. Kojarzyła mi się z Vondráčkovą. Zauważyłem też taką specyfikę kobiet, że troszkę inaczej zginają łokieć niż faceci. Ona zawsze dziwnie zginała ten łokieć. To była pierwsza rzecz, na którą zwróciłem uwagę. Poza tym miała taki fajny meszek na buzi. Do tej pory pamiętam jej numer telefonu. Ania była moją wielką miłością.

Na starcie pomógł mi przypadek. Nadszedł czas jesienno-zimowy, sporo dzieci w klasie zachorowało. Pani powiedziała: „Dzieci kochane, napiszcie listy do kolegów, którzy są chorzy". I ja wybrałem Anię.

Dokładnie nie pamiętam, czy mi jej aby nie przydzielono, ale z pewnością nie protestowałem.

Napisałem list: „Jak się czujesz, my w klasie teraz robimy to i to". Ania chyba nie wiedziała, że była w tym jakaś sugestia pani. Odebrała to bardzo personalnie, odpisała. Miała piękny charakter pisma i nawet tusz w długopisie miała piękny – niebieski. Wąchałem ten list, wydawał mi się pachnący. Pierwszy raz w życiu poczułem uderzenie ciepła, serce mi mocniej zabiło.

I tak zaczęliśmy utrzymywać kontakt. A to do niej zadzwoniłem, a to odprowadziłem ze szkoły do domu, to naprawdę była szósta klasa, więc dosyć wcześnie. Pisaliśmy do siebie na lekcjach mnóstwo liścików: „Czy mnie kochasz? Ja Cię kocham".

Jak wyprowadziłem się z domu, moja mama te listy znalazła i przechowywała je na pamiątkę.

Ania przez następne trzy, cztery lata na stałe zaistniała w moim życiu.

Co prawda, oprócz całowania w windzie nigdy nie byliśmy taką prawdziwą parą, ale dużo spędzaliśmy ze sobą

czasu, wszyscy wiedzieli, że jesteśmy blisko i że się lubimy. Klasa mówiła, że chodzimy ze sobą, że się w sobie kochamy. Nawet wychowawczyni mówiła o nas: „Szymon i Ania".

Kiedy zbliżały się mikołajki, musiałem tak załatwić sprawę, żeby wylosować Anię Górską. Ile ja się nahandlowałem... Oczywiście pani określała limit wartości prezentu, na przykład: „Macie wydać do 10 złotych". A ja już od pół roku miałem przygotowane 25 złotych, może nawet 30. Zresztą cały rok robiłem jej prezenty. Rysowałem laurki, zrywałem kwiatki, kupowałem jej ulubione płyty, plakat zespołu załatwiłem, jeździłem po to na „Wolumen". Pamiętam, że gdy zapraszałem ją do mnie, żebyśmy pograli w kapsle, to robiłem dla niej specjalne kapsle. Musiały mieć koszulki z buźkami i miśkami, a nie z państwami jak te, którymi grali chłopcy. Na klasowych wycieczkach starałem się siedzieć obok niej w kinie, żeby móc trzymać ją za rękę. Złapanie jej za rękę to już była cała operacja.

Chodziliśmy na spacery, robiłem jej zdjęcia. Ona miała psa Rutkę, ja miałem swojego psa. Jeździłem do niej na rowerze, starałem się wyglądać i zajechać jak prawdziwy twardziel. Nie wiem, czemu wydawało mi się, że prawdziwy twardziel jeździ na rowerze w rękawiczkach i ma czapkę cyklistówkę. Zajeżdżałem do niej na podwórko i musiałem porządnie wyhamować, żeby się pochwalić, że w ostatniej chwili opanowałem maszynę. Nie przeszkadzało mi, że Ania czytała *Kotkę Petriszonkę*, czułem się tylko bardziej męski, bo czytałem *Tomka w krainie kangurów*.

No i z Anią kojarzy mi się winda. W windzie pierwszy raz pocałowałem Ankę, pocałowałem ją gdzieś za uchem, potem w szyję, a potem w policzek. Pamiętam, jak ta winda się zatrzymywała.

Wiedziałem, że mam jeszcze trzy piętra na to, żeby ją pocałować. Pocałunek był bardzo szybki, zaraz się wycofałem. Prawie mi się ciemno przed oczami zrobiło. Do dziś pamiętam niesamowity zapach tej windy. Według opowieści Anki jej tata wiózł kiedyś zakupy, w tym aromat do ciasta, i aromat mu się stłukł. Ta winda pewnie jeszcze do dziś tym pachnie. Za każdym razem, gdy później jechałem do Anki tą windą i czułem ten zapach, to jej nawet mogło w domu nie być, a mnie i tak robiło się gorąco.

Niestety, w pewnym momencie zacząłem walkę o jej względy przegrywać ze wszystkimi macho. Byłem za delikatny: długi, chudy, taki, kurczę, skrzypek na dachu. Ona tę moją delikatność najpierw doceniała, ale w pewnym momencie wyszło na jaw, że każda prawdziwa kobieta potrzebuje oparcia. I pojawili się jacyś piłkarze. Jakiś jeden, co grał, rozgrywał, walczył...

Odwiedzałem ją jeszcze czasem, gdy miałem 18 lat, ale wtedy już w ogóle była poza zasięgiem. Właśnie wtedy Gawliński się koło niej kręcił, ktoś tam jeszcze. Zamieszanie wokół niej było straszne. Nawet przez pewien czas była z niejakim Wojtkiem Blondem, który śpiewał: „Park to nie jest miejsce do kochania". To był taki nasz polski Shakin Stevens. Dla mnie masakra.

Bardzo bolało mnie serce, że miałem tylu konkurentów i z nimi przegrałem, że wielu ogrodników chciało ściąć jej cudowny kwiat, ale dla mnie została „tą Anią". Jeszcze w liceum nosiłem znaczek z jej zdjęciem. To była fotografia na statku, z klasowej wycieczki. Gdzieś tam wierzyłem, że jeszcze będziemy razem. Potem się dowiedziałem, że ona poznała jakiegoś Belga i z nim wyjechała.

Czasem moja mama spotykała jej mamę i tak przez mamy się pozdrawialiśmy. Jej mama mówiła, że Ania zawsze mnie miło wspomina, że w polskich gazetach coś tam o mnie przeczytała i tak dalej.

Oj, co tu ukrywać, mocno się w niej zadurzyłem, parę lat chodziłem jak kołowaty. Ona jeździła na wakacje do Zakroczymia, więc jak przejeżdżałem przez Zakroczym, to mi serce waliło – to był obłęd, naprawdę.

Jeszcze w podstawówce, chcąc się na niej zemścić za to, że mnie opuszcza, napisałem piosenkę dla swojego zespołu LWWS (Leśne Wypierdki, Wyrzutki Społeczeństwa) pod tytułem *O Ance i wieprzku*. Tekst to były totalne bzdety: „Anka weszła do obory, gonił ją wieprzek, ona się wywróciła w błoto" i tak dalej. Piosenka weszła w obieg, klasa zaczęła to jakoś obśmiewać, ona się przeze mnie popłakała. I wtedy poczułem się strasznie, że kobieta przeze mnie płacze. Jednak miałem i satysfakcję, pierwszy raz pomyślałem, że może powinienem zająć się satyrą, bo jedni będą się dzięki mnie cieszyć, a inni płakać. Potem, w liceum, taką Anką stała się dla mnie moja przyszła żona. Bardziej realną, a typ urody podobny.

* * *

Jak nauczyciele reagowali na Twoje poczucie humoru?

Słabo. Na ogół byłem lubiany przez polonistów, którzy trochę rozumieli, o co mi chodzi, choć nie wszystkie lektury czytałem. Może z racji znajomości Witkacego mieli w głowie inaczej poustawiane meble. **Wyczuwali, że mój humor jest przejawem, że się tak wyrażę i powiem to o sobie – inteligencji.** Że być może ten chłopak jest wrażliwszy i w sumie fajnie, skoro coś takiego wymyśla.

Natomiast wszystkie inne babki... Rusycystka miała problem, że nie żartowałem po rosyjsku, za to żartowałem z Kraju Rad. Dawałem znaki, że nie imponuje mi, że Związek Radziecki jest 50-krotnie większy od naszego kraju, co uwielbiała podkreślać. Najbardziej ją podniecało, jak wstawała z tyłu Kasia Mazurek, która mówiła, że porównać Związek Radziecki do Polski to tak, jak

porównać traktor do muchy. Jakoś się zawsze w takich sytuacjach głośno śmiałem i jako jedyny w klasie miałem trójkę z rosyjskiego.

Nie pomyślałeś, że lepiej ten śmiech opanować?

Miałem dziadka AK-owca, więc hegemonia Związku Radzieckiego mi nie odpowiadała. Nie uczyłem się, nie lubiłem tej baby i koniec.

Potem trafiłem do niej w stanie wojennym, kiedy jako harcerz roznosiłem paczki z Kościoła.

Jakie paczki?

Żywnościowe. Do parafii przychodziły dary ze Szwajcarii. Z siostrami to selekcjonowałem, ludzie się zapisywali, ja dostawałem adresy i roznosiłem te paczki.

I pewnego dnia trafiłem do mojej rusycystki, która była zapisana jako ta, co chciała z Kościoła dostać paczkę. Nasza pani naczelna komunistka!

I?

Zobaczyłem ją w drzwiach, a ona udała, że nie wie, o co chodzi. Powiedziała, że to pomyłka. Miałem jej adres zapisany. Niezła historia, co? To właściwie był, jak by powiedział Kapuściński, chichot historii.

Prowokowałeś tę nauczycielkę?

Tak. Raz wywiesiła ulotkę na korytarzu, w której w paru punktach objaśniała, jak powinien wyglądać ruch uczniów na przerwach. Nie pamiętam, czy mieliśmy chodzić lewostronnie czy prawostronnie, ale zważywszy na nią, chyba lewostronnie.

Jak w więzieniu na spacerniaku.

Wywiesiłem obok własną kartkę, że należy dodać instrukcję do instrukcji, tak to było niezrozumiale napisane. I oczywiście napisałem to takim językiem urzędowym jak ona.

Konsekwencje?

Przydybała mnie, wzięła do dyrektorki, ciężka rozmowa...

Co było w tych kościelnych paczkach?

Masło z bloku, solone. Raz przyszły barany...

Co?

...suche barany z Australii. Nie wiem, jak one były spreparowane, ale to była sucha baranina, mięso na szkielecie z barana. Taki baran wypatroszony i ususzony.

Siostry zakonne – to był kościół św. Jakuba przy placu Narutowicza – wyszły z siekierą, obraz niczym z jakiegoś *Egzorcysty*, no i tak się chyba *Matka Joanna od Aniołów* kończy, że on w końcu z siekierką wychodzi, ten ksiądz... W końcu przejąłem tę siekierę i z siostrami rozwalałem te barany.

Były też paczki z ciuchami. Ludzie wtedy nieprawdopodobne rzeczy wysyłali do Polski. Do tej pory czasem na Zachodzie widzą nasz kraj dziwnie, ale strach pomyśleć, jak wtedy widzieli. Oczywiście były rzeczy porządne, ale trafiała się też używana bielizna, brudne spodnie zwinięte w rulon, jeszcze z biletami i chustkami do nosa w kieszeniach. W końcu poprosiłem siostrę, żeby zwolniła mnie z roznoszenia paczek.

Po drugiej stronie zacząłem spotykać ludzi, którym powodziło się dużo lepiej niż mamie i mnie. Mama sama mnie wychowywała i naprawdę u nas było cienko. A niosłem paczkę dozorcy mojego budynku, oczywiście zdeklarowanemu komuniście, który jak na tamte czasy opływał w dostatki. Albo gościowi z sąsiedztwa, który sypał grepsami, jak to nas „Solidarność" urządziła.

Trafiałem też w miejsca straszne, to była wielka szkoła. Chodziłem sam, miałem 17 lat. Ja wtedy zawaliłem całkowicie jedną klasę, bo trzy, cztery razy w tygodniu chodziłem

z tymi paczkami niemal przez cały dzień. Oczywiście nie dopisuję sobie martyrologii, z Michnikiem nie siedziałem w Białołęce ani na powielaczu nie drukowałem, ale uważam, że akcje „Gazety Wyborczej" powinienem mieć. Przynajmniej trochę (śmiech).

Albo dlaczego Wałęsa na imieniny mnie nie zaprosił?

Poszedłbyś?

Jakbym nie poszedł, to powiedziałbym, że w proteście przeciwko temu, że był tam Kwaśniewski.

A serio, to przecież nie przez te paczki nie zdałem. Ja to sobie cynicznie wymyśliłem: dobra, teraz prowadzę działalność wywrotową, jestem żołnierzem wolności, młodym rycerzem „Solidarności". Nie ma wojny, nie mogę walczyć jak mój dziadek, to roznoszę paczki.

Ale prawda jest taka, że gdybym chciał się, do cholery, uczyć, to bym się uczył. A tak mamie mogłem powiedzieć: „Walczyłem, byłem na pierwszej linii frontu – z Wałęsą prawie w jednym okopie i przy jednej frezarce. Anna Walentynowicz mówi mi wujku". Nie chciało mi się uczyć i czasem dzięki temu ktoś dostał paczkę.

Liceum imienia Kołłątaja. Pierwszy dzień wiosny. Kmicic-Majewski.

Miałeś nauczycieli, co do których czułeś, że są po Twojej stronie?

W liceum.

W podstawówce nie?

Wtedy jeszcze nie miałem problemów. Byłem lubiany, grzeczny chłopak – gdzieś tak do siódmej klasy. Potem się leniłem, ale jechałem trochę na opinii. Miałem dziadka, który był w szkole bardzo szanowany, zaangażowany w życie klasy. Byłem kulturalny, wstawałem, gdy nauczyciel wchodził. No, taki dobrze wychowany chłopak z inteligenckiej rodziny. Wnusio AK-owca, synek mamusi. Wzorowy uczeń, jedyna trójka to ta z rosyjskiego.

Zostałem ulubieńcem pań w szkolnej kuchni. Uwielbiałem ogryzać kości i zawsze dostawałem dodatkową. Kość ze szkolnej zupy, pięciokilową, sypałem solą i obgryzałem.

Musiało pięknie wyglądać.

Niesamowicie, bo byłem totalnie chudy i jadłem długą kość. I zupy uwielbiałem, do dziś są moją słabością. Była więc od pań kucharek ta kość i dodatkowy kotlet. Mogłem nawet wchodzić do kuchni i siedzieć u pań przy herbacie.

Czym tak podbiłeś ich serca?

Tym samym co zawsze – byłem kulturalny. Mówiłem: „Dzień dobry, co u pań słychać?". No, i dziadek mój przychodził do nich, kłaniał się. Zwyczajnie byłem grzeczny i lubiłem rozmawiać. Może była jakaś historia, że pani powiedziała, że boli ją w krzyżu, ja poszedłem do mamy, mama dała maść. Ja ją zaniosłem. **Lubiłem pomagać, ludzie to wyczuwali. Ot, taki fajny, sympatyczny chłopak.** Woźne też mnie uwielbiały. Panie kucharki robiły mi nawet herbatę malinową. Mogłem spoglądać przez okienko, przed którym inni czekali, a ja zza okienka... Prawie że wydawałem obiady. Jak szef.

To samo w liceum. Jeden nauczyciel był chory i mimo że mnie nie uczył, zacząłem nosić mu jedzenie. I się z nim zaprzyjaźniłem.

Do dziś miło mnie wspomina, ostatnio pozdrawiał mnie przez panią Hannę Gronkiewicz-Waltz. On też miał nazwisko Waltz, okazało się, że to rodzina. Uczył angielskiego.

To skąd Twoje kłopoty?

W liceum zacząłem szaleć. Tęskniłem za podstawówką, wydawało mi się strasznie niesprawiedliwe, że straciłem tamtą pozycję, tamtych kolegów i muszę na nowo pozyskać sobie ludzi. W podstawówce wszyscy mnie kochali, do liceum wchodziłem na lekcję jak za karę, już nie czułem się gwiazdą. Coś we mnie wzbierało. Chyba tęskniłem za atmosferą totalnego dzieciństwa. Podstawówka była dla mnie łaskawa, **w liceum odkryto horrendalne problemy z moim charakterem, zacząłem się buntować na maksa, nosiłem przygniecione trampki i podarte dżiny...**

Przeciwko czemu ten bunt?

Przeciwko wszystkiemu: nauce, rodzinie, ideałom. No, do drugiej klasy, póki należałem do harcerstwa, jeszcze było w miarę, chociaż już pokazywałem rogi.

Później podczas lekcji zawsze miałem do wyboru dwie drogi: nauczyciel coś powie, jakoś fajnie się podłoży, wystarczy dorzucić jedną pointę, jeden greps i wylecieć za drzwi, albo nauczyciel rzuci greps, ja to zostawię, będzie spokój, ale nie będzie śmiesznie.

Zawsze wybierałem opcję, że on się podłożył, coś powiedział, a ja yyy... i zaczynało się. A Napoleon to coś tam, ja – a Napoleon to coś, klasa w śmiech, Majewski za drzwi.

Na korytarzu walczyłem z oświeceniowcami

Na korytarzu spędziłem połowę lekcji, dlatego dokładnie obejrzałem wiszące tam wizerunki Poczobuttów-Odlanickich i Kołłątajów. To była szkoła imienia Hugona Kołłątaja i ci nudziarze z oświecenia stali się moim przekleństwem.

Może wszystkie moje kłopoty wzięły się stąd, że trafiłem do liceum, którego patron był oświeceniowcem, a dla mnie romantycy to byli fajni goście. Na nich się wzorowałem, chciałem mieć długie włosy, białe koszule. Romantycy byli cool, natomiast ci oświeceniowcy na szkolnych portretach wyglądali jak szefowie urzędu miar i wag albo głównego urzędu suwmiarki. Oni zawsze byli przedstawiani z jakimiś cyrklami, wagami, cholera, goście z hurtowni albo punktu skupu makulatury. Ich nazwiska też były schizofreniczne. Mickiewicz, Słowacki – to fajne nazwiska, mogłyby znaleźć się na liście lokatorów. A Poczobutt-Odlanicki? To brzmi jak przyrząd do odlewania butów. Albo Hugo Kołłątaj – też dziwna sprawa, mógłby być bohaterem kreskówki albo filmu braci Marx. I te ich spojrzenia jakieś takie surowe, on jak zmierzył, to się cieszył, że jutro będzie mierzyć dalej. Wszystkie te portrety w naszej szkole malował jeden koleś, który się nazywał Kurdziel, i to też mnie bawiło. Kurdziel i Poczobutt-Odlanicki – ja tam miałem pełne ręce roboty.

* * *

Masz chyba żal do tej szkoły, że Cię oblali na maturze?

Moje liceum było „z góry" dotknięte delikatną schizą. Przez wiele lat nie poprawiono błędu w napisie na czerwonej tablicy przy wejściu: Liceum Ogólnokształcące nie było Ogólnokształcącym, tylko Ogólnokształącym imienia Hugona Kołłątaja, zjedli jedną literę. Chodząc do tej szkoły, miałem pełną świadomość, że ona jest jakoś przetrącona.

Że to nie do końca serio, że w Liceum Ogólnokształącym istnieją troszkę inne zasady, że może nie zawsze trzeba zdawać do następnej klasy, co mi się przytrafiło. Że może nie zawsze trzeba zdawać maturę, co też mi się przytrafiło. I że z Liceum Ogólnokształącego trafia się na przykład do wieczorówki, co, oczywiście, też mi się przytrafiło.

Zacząłem dbać o ciało. Sztanga samoróbka.

Jeżeli mielibyśmy odbierać sprawę serio i uznać, że jestem Hugonem Kołłątajem, oświeceniowym zimnym draniem od suwmiarki i wagi i wszystko odmierzam, i do wszystkiego przywiązuję wagę, to **jeżeli liceum się nazywa Ogólnokształcące, to ono edukuje, a jeżeli się nazywa Ogólnokształące, to co ono robi?** Może to, że ja nie zdałem matury, jest nieważne? Albo te pięć lat, które tam spędziłem, może to wszystko nieprawda?

No, i jeszcze tak się nieszczęśliwie złożyło, że chodziłem do klasy f, tej ostatniej, i ona była dla mnie pechowa.

Z czego oblałeś maturę?

Wiadomo, z matematyki.

Jak to, przecież matematyka to był najłatwiejszy przedmiot do ściągnięcia? Nie miał kto podać Ci zadań w kanapkach?

Powiem tyle. Moja nauczycielka nazywała się Teraz. Dla mnie, człowieka wyczulonego na nazwy i nazwiska, oznaczało to koniec matematycznej kariery.

Gdy na początku pierwszej klasy powiedziałem do kolegi: „Co teraz robimy?", i ona to usłyszała, było wiadomo, że nie zostanę jej ulubieńcem. Albo: „Dokąd idziesz?", „Teraz do higienistki", albo: „Gdzie Majewski błądzisz myślami?", „Teraz, pani profesor?".

Rzeczywiście, nie mogło być Ci łatwo.

Ta pani czyniła mi problemy od dnia, gdy mnie ujrzała. Ja też nie darzyłem jej

sympatią. Była nauczycielką matematyki, a jeszcze wyglądała jak z tych portretów Kurdziela: szczupła, zacięte usta, zasadnicza na maksa, od razu wiedziałem, że będzie konflikt. A jakby dziś zobaczyć mnie z tamtych lat, to konflikt był oczywisty. Na te czasy byłem postacią tak kolorową i zakręconą, że musiał wybuchnąć. To jak woda i ogień, musiało syczeć i się zadymić.

Ona od razu wiedziała, z czego jestem dobry, że dużo czytałem, że na wycieczce na Wawelu potrafiłem uzupełniać opowieści przewodnika, że interesowałem się historią, miałem otwarty łeb. Ona to, kurza twarz, wiedziała! I wiedziała, że nigdy nie będę stawiał mostów. Co prawda, nie tacy debile mosty stawiają, jak się okazuje, na przykład budują w Warszawie wiadukty na rondzie Bitwy Warszawskiej, pod którymi nie mieszczą się tiry. Ja bym tego błędu nie popełnił, bo wiem, że od czasu do czasu tir po naszych drogach przejeżdża.

Nigdy nie zapomnę ulubionej odzywki pani Teraz do mnie. Najczęstszą rzeczą, którą słyszałem od niej w liceum, było: „Majewski, nie rokujesz!". Mówiła to gawronim głosem zawsze przy okazji rozdawania ocen albo gdy stałem przy tablicy. To był błąd gramatyczny, powinna była powiedzieć, że „nie rokuję postępów", a tak, gdy to słyszałem, przychodziło mi do głowy, że może jej zdaniem słucham za mało muzyki rockowej. **„Majewski, nie rokujesz", to moja licealna mantra.**

Zimowałeś przez nią, a pewnie mogła Cię nie oblewać, zadać do nauczenia na pamięć życiorys słynnego matematyka i odpytać z tego na mizerną trójkę.

Przyszedł do niej polonista, który ją prosił o mnie, wstawiał się. Profesor Ireneusz Gugulski, niesamowita postać, pan, który już, niestety, nie żyje. Był polonistą zesłanym do nas z „Reytana", bo tam narozrabiał za komuny strasznie. Siedział w Białołęce. I trafił do „Liceum Ogólnokształcącego", co było moim wielkim szczęściem. Ja z kolei trafiłem na człowieka nieprawdopodobnej klasy, wiedzy, tak magicznego faceta... to było tak, jak bym się dostał na wykłady do Miłosza. U niego lekcje języka polskiego wyglądały jak celebrowane msze.

Co Ci się w nim najbardziej podobało? Dawał Ci zakazane książki do czytania?

Nawet nie. On po prostu był pierwszym nauczycielem, który mnie docenił. Można powiedzieć, że był pierwszym, który odkrył, że nie jestem wariatem.

Jak pisałem prace, to zawsze po swojemu. Nie byłem w stanie dokładnie odpowiedzieć na pytanie z tematu pracy. Pisałem o romantyzmie, a w moim wykonaniu to był tylko opis obrazu z tego okresu. Pracę o symbolizmie napisałem tylko o malarstwie Malczewskiego.

Pamiętam dzień, kiedy on mnie zaczepił po jakimś oddaniu prac i mówi: „Wiesz co, Szymon, czytałem twoją pracę. Postawiłem ci cztery mniej, bo w sumie to nie była praca na temat, ale coś tam, cholera, siedzi ci pod tą kopułą, tylko trzeba by się uważnie temu przyjrzeć".

Bardzo miło mi się wtedy zrobiło, ponieważ na jego zdaniu bardzo mi zależało. On czuł, że nie byłem asem totalnie niepokonanym z tego polskiego, ale ewidentnie byłem jednym z tych lepszych. Świetnie recytowałem, miałem zacięcie do tego, umiałem to fajnie zrobić, ale olimpiady polonistycznej bym nie wygrał. **Ja chyba z wiedzą podręcznikową miałem kłopot, nie za dobrze przyswajałem na pamięć, gramatyki nie umiałem, zamiast lektur czytałem swoje książki.** Gugulski to doskonale wiedział, mówił: „Majewski, coś tam jest w tobie, tylko ja nie umiem tej szuflady znaleźć". Szko-

da, że nie starczyło mu czasu, żeby mi się dokładnie przyjrzeć.

Nam kilku w klasie zależało na Gugulskim, a ja już byłem w nim totalnie rozkochany. Wychowywała mnie mama i pamiętam, że wtedy widziałem w nim mojego ojca. Nawet trochę fizycznie byli podobni. Gugulski był dużo niższy, ale też łysy, miał taką samą brodę. Był pochodzenia tatarskiego, trochę „leninopodobny". Jeszcze odpowiednią czapkę nosił, oprychówkę, a był przy tym totalnym antykomunistą.

Niestety, potem stwierdzono u niego raka mózgu. Bardzo podupadł psychicznie. Z powodu choroby zaczął zaglądać do kieliszka. Dla mnie zawsze będzie postacią wielką. Ciągle pamiętam starego „Gugula" z najlepszych czasów, jak idzie do szkoły w tej czapce, czarnym płaszczu i białej koszuli. Eisenstein mógłby z nim kręcić filmy o rewolucji. Nieprawdopodobna postać.

Wspomniałeś łysinę swojego ojca, czyli Ty jesteś podobny do mamy?

Fizycznie – nie. Raczej do ojca. Po mamie mam może oczy, a ruchy, wzrost to po ojcu.

Miałeś w liceum pomysł, kim chcesz zostać?

Nie, kompletnie. W liceum byłem przerażony, zwłaszcza gdy w trzeciej, czwartej klasie przyszedł moment, że ludzie się deklarowali. Ja cały czas się zastanawiałem.

W dodatku nie zdałem akurat wtedy, kiedy najlepiej mi się powodziło. Z reguły miałem cztery dwóje na półrocze i zawsze na koniec roku z tego wychodziłem. I właśnie w roku, w którym miałem dwie dwóje na półrocze, nie zdałem. To była trzecia klasa.

Przeżyłeś szok?

Coś czułem, ale bardziej moja mama przeczuwała, że ja chyba nie zdam. Pomyślałem: „Cholera, w sumie w porządku, bo trochę dłużej potrwa młodość". Nie paliłem się do „wielkiego świata". Komuna cały czas trwała, więc dla mnie oddalanie momentu dorosłości było jak znalazł. Oczywiście, było mi przykro, bo lubiłem w miarę tamtą klasę. Ale pomyślałem: „A dupa, przecież ciągle będzie Gugulski", to ewidentnie był dla mnie punkt odniesienia, że im dłużej będę przez niego uczony, tym fajniej. **Miałem też złudzenie, że jak się będę dłużej uczył, to więcej się dowiem. Gówno prawda,** bo nadal musiałem się wyciągać i nadal do końca nie było pewne, czy zdam, ale doszedłem do tej czwartej klasy w końcu.

I na maturze pani Teraz, właśnie teraz, przy rubryce Majewski postawiła na swoim. Tym bardziej, że moja praca była taka, że mogła mi słabą tróję dać. Moja rodzina dała potem moją maturę do oceny komuś z kuratorium. Gdyby Teraz miała dobrą wolę, mogłaby mnie puścić, ale, kurza twarz, nie zrobiła tego. I spowodowała spore tąpnięcie w moim życiu.

To znaczy?

Upomniało się o mnie wojsko. Musiałem się przez pewien czas ukrywać u cioci, bo chcieli mi wręczyć bilet. Byłem zarejestrowany, miałem już kategorię. I tak znalazłem się u cioci, a moja mama, jak oni przychodzili, twierdziła, że wyjechałem. Siedziałem tam u tej ciotki sam, pracy nie miałem, na studia nie zdałem, maturę miałem już z wieczorówki. No, po prostu dno.

Po kolei – jak było w wieczorówce?

Do wieczorówki musiałem chodzić przez cały rok. Było dziwnie, tam już trafiłem na egzemplarze naprawdę niezłe. Część nawet miała żółte papiery. Jednego z nich później spotykałem na Dworcu Centralnym w amoku alkoholowym albo psychicznym.

W tych szkołach pod koniec lat 80. rzeczywiście były niesamowite mieszanki.

Oooo... Połowa ludzi, którzy teraz są muzykami, znanymi malarzami, tam właśnie się kształciła. Z mojego bliskiego kręgu, którzy stanowią teraz, przepraszam za idiotyczne słowo, elitę mediów, wszyscy kończyli liceum wieczorowo.

Nawet Jurek, teraz szef jednej z większych korporacji agencji reklamowych. Widziałem ostatnio zdjęcie jego domu w Konstancinie, no, kurza twarz, po prostu Carrington. A pamiętam chłopaka, był heavymetalowcem, miał do pasa pióra, nie mógł skończyć żadnej szkoły, wywalali go ze wszystkich. Po prostu siedział na „Sorbonie" bez żadnych nadziei na przyszłość, uznawany za kompletnego idiotę.

System wyrównywał.

Był jak hebel, brał wszystko. Co odstawało bokiem, kantem, trzeba było zrównać. Teraz już tak nie jest. Inny od czasu do czasu może znaleźć szkołę, w której się odnajdzie.

Wtedy element nieprzystosowany to był hippis, punk – czyli narkoman – i won z nim. A ja jeszcze miałem w karcie to swoje niepodległościowe harcerstwo – same punkty, które dla ówczesnego systemu edukacji były powodem do eksterminacji.

Bałeś się o swoją przyszłość, gdy siedziałeś u tej ciotki?

Miałem moment załamania. Wszyscy pozdawali na studia, wszyscy się gdzieś pozaczepiali, ja z maturą z wieczorówki... Ona nawet fizycznie źle wyglądała, pamiętam chlapnięte zdjęcie, przyklejone gumą arabską, z językiem z tej gumy arabskiej wylanym na boku. Ewidentnie czułem, że to niezbyt mocny papier, i bez jakiegoś wujka gdzieś tam czy ojca gdzieś tam to po prostu...

I jeszcze dziadek zmarł, a on był dla mnie punktem zaczepienia i oparcia. Póki on był, czułem, że przynajmniej mama ma zabezpieczenie.

Wtedy miałem jedyny moment, gdy pomyślałem o wyjeździe z kraju. Wielu moich kolegów w roku 87, 88 wyemigrowało. Komuna dogorywała w słabym stylu, perspektyw nie było żadnych, ekonomicznie – badziewie maksymalne. Zacząłem myśleć o wyjeździe do Hiszpanii, mój kuzyn wyjechał wcześniej, ja zacząłem się uczyć hiszpańskiego. Pół roku chodziłem na lekcje. Raczej tak dla zabicia czasu. Chodziłem też na pantomimę. Było słabo, byłem w dole. Gdyby nie radio, to bym, zdaje się, wyjechał. Naprawdę niewiele brakowało.

Jak udało Ci się wyreklamować z armii?

Współcześni 19-letni szczyle nawet nie mogą sobie wyobrazić, co przeżyłem. Teraz, zdaje się, do armii idą tylko ci, którzy chcą albo są naprawdę bardzo mało zapobiegliwi.

No i ci bez szans na pracę, którzy marzą, by iść...

...my szukaliśmy w sobie wady osobowości, dobrze było na przykład słyszeć głosy. Wtedy łowili na maksa, brali każdego.

Podstawową zasadą było, żeby nigdy w życiu nie wziąć biletu, czyli powołania do jednostki. Na komisję trzeba było pójść. Dostać kategorię. E była wymarzona, „eeeee", jak sama nazwa wskazuje, to był ktoś, kto się do armii w ogóle nie nadawał.

A o co chodziło z tym biletem?

Jak był wiosenny albo jesienny pobór, należało po prostu nie pojawiać się pod adresem, który znała komisja uzupełnień. Dlatego zamieszkałem u cioci. Nie wziąłeś biletu, byłeś tak zwanym człowiekiem, który unika służby wojskowej. Jak dostałeś bilet i się nie stawiłeś, to już oznaczało dezercję. Byłeś ścigany. Człowiek, który się uchylał, też był niemile widziany, ale bezpieczniejszy.

Na uchylających się robili desanty. WSW przychodziło do domu, zadawało mamie pytania. Myśmy uknuli plan, że mama im otwiera i mówi, że nie wie, gdzie syn jest, bo trwa między nami konflikt: „Nie wiem, gdzieś poszedł w Polskę, nieodpowiedzialny"... i tak dalej.

I w samym środku tego nieszczęścia tak się pięknie złożyło, że doznałem pęknięcia wyrostka robaczkowego.

Trafiłem na pana doktora, który był synem jakiegoś ówczesnego ministra i zarazem totalnym betonem. Siłą, zdaje się, wyciągnięty za uszy, został lekarzem. Badał mnie na szpitalnej izbie przyjęć i stwierdził, że mam zatrucie żołądkowe i żebym poszedł do domu. Powiedział mojej mamie, że symuluję, histeryzuję. A miałem już rozlany wyrostek i jak tylko wstawałem, to od razu mdlałem.

Wróciłem na dwa dni do domu, gdzie przeleżałem z zapaleniem otrzewnej i brzuchem pełnym tajemniczych substancji, kwitnącym własnym życiem. Potem to już mdlałem, jak na łóżku podnosiłem głowę. Na dobrą sprawę schodziłem.

Aż przyjechał mój wujek, który był profesorem medycyny, i zobaczył, że mam tak zwany ostry brzuch, który jest tematem pierwszego odpytywania studentów na pierwszym roku akademii medycznej: „Ostry brzuch – bierzesz do szpitala i sprawdzasz".

Na czym polegał Twój „ostry brzuch"?

Był jak kamień. Pukasz i nikt się nie odzywa. Ten facet, co uznał mnie za symulanta, teraz zajmuje się geriatrią, więc myślę, że dobrze go usadzili. Niedawno go zauważyłem, jak udzielał wywiadu w telewizji.

Po tamtej akcji ze mną został relegowany ze szpitala. To był przecież szkolny błąd. Moja mama nie przepuściła, odbył się sąd i go wyrzucili.

Co się dalej z Tobą działo?

Po dwóch dniach wróciłem do szpitala, nadawałem się już tylko do natychmiastowej operacji. Jako że byłem żółty i miałem długie włosy, pierwsze pytanie na izbie przyjęć brzmiało: „Co brałeś?". Lekarka próbowała do mnie grepsiarskim slangiem wyjechać: „Co, dragi?". Nie byłem w stanie się śmiać. Czułem, jak uchodzi ze mnie życie, jeszcze nie widziałem tego świetlistego tunelu, ale jakąś jarzeniówkę już tak.

Operacja trwała pięć godzin, zszywali mnie jak stary worek, robili to niczym retusz jakiejś kamienicy przedwojennej. Rwało im się mięso, w środku wszystko było przegniłe, nie byli w stanie mnie zszyć. Lekarz powiedział, że jeszcze parę godzin i byłoby „do widzenia". Przeleżałem półtora miesiąca w szpitalu, schudłem 18 kilo. Wróciłem do domu, do matki, i wtedy przyszedł bilet. Zawiadomienie, żebym się zgłosił na komisję wojskową.

Pomyślałem: „Teraz albo nigdy! Wyglądam jak śmierć na chorągwi. **Mam zaświadczenie ze szpitala, że potrzebuję rehabilitacji, że było zagrożenie życia, dodatkowo zapalenie otrzewnej uaktywniło mój stary problem z wątrobą... jedzie ode mnie trupem".**

Uznałem, że to genialny moment, żeby pójść na komisję, bo nikt o zdrowych zmysłach nie weźmie mnie do armii.

Założyłeś jednak, że siedzą tam ludzie o zdrowych zmysłach.

I to była rzecz, na której bym się przejechał.

Poszedłem, podpierając się na znajomym, bo sam jeszcze dobrze nie chodziłem. Wzywają mnie, siadam przed komisją, facet przytłoczony jakimiś belkami na ramionach mówi do mnie: „No, dobra, Szymon Majewski, lat 20, OK, tu wszystko w porządku, w porządku, w porządku, ostatnie badanie rok temu, wobec tego skierowujemy cię do jednostki w Pabianicach, tutaj jest bilet. Masz się stawić za tydzień". Dali mi bilet!

Mówię: „Przepraszam pana bardzo, ale mam tutaj zaświadczenie – proszę – od pana ordynatora szpitala na Banacha. Proszę przeczytać, a tam jest cała litania, co mi było i co ze mną jest aktualnie. Jeszcze ze mnie wychodzą sznurki".

On to czyta i mówi: „Być może, ale według moich papierów mogę ciebie wziąć".

Ja: „Tylko że te papiery, które pan ma, są sprzed roku, a ten papier, który mam tutaj – to przecież tydzień temu wystawiony. Czy pan widzi, jak ja wyglądam? Mogę panu pokazać szwy".

On: „Ale mnie to nie obchodzi, masz tu bilet, stawiasz się tego i tego dnia".

Widzę, że facet jest totalnie nieprzemakalny, siedzi naprzeciwko mnie trep trepów, gość z mózgiem w panterkę, całkowity niewypał umysłowy. Kurde no, weźmie mnie! Może ma „niedostan", „niedobór", a jest koniec komisji, bo byłem jednym z ostatnich i on musi mieć jeszcze trzech czy czterech i ma już to w dupie. Być może gdybym był rano, to by mnie puścił. Pokazuję facetowi szwy jako te „ryby siną barwą kłute" – i nic.

I wtedy, ostatnim rzutem na taśmę, wykonałem rozpaczliwy gest. Stwierdziłem, że w tym momencie ważą się moje losy, bo jak pójdę, to wsiąknę wśród jakichś gości, którzy „nie czytali prozy Brunona Schulza". I że będzie mi z nimi ciężko, bo będziemy rozmawiać o innych lekturach.

Wstałem z trudem i pomyślałem sobie, że pośród tych wszystkich baranów, którzy mają umysły co najmniej jednego dozorcy, jakby to wszystko do siebie dodać, poszukam kobiety. Bo jedynie kobieta jest w stanie mnie zrozumieć. Mama, mamuśka, mamoczka, żeńścinka! Ktoś, kto ma dziecko, syna, może zrozumieć, o co tutaj chodzi. **Ja jestem chory, mam papier, a facet mówi, że jak zbadał świnię, to nieważne, że leży przed nim golonka.**

Mówię: „Przepraszam bardzo, czy jest tu jakaś kobieta?". Wypadam na korytarz, tam rząd pokoi. I nagle z pokoju obok wychodzi babka, jak się potem okazało, była to sekretarka szefa całego WKU. Uwaga! Jakie było nazwisko szefa Wojskowej Komisji Uzupełnień? Rybak! Nic dodać, nic ująć – swoją barkę pozostawiam na brzegu i łowię...

I wyszła ta pani, pięknie tlenione włosy, fryzura „na kopułę". Mówię: „Proszę pani, pani jest kobietą, niech pani przeczyta to pismo". I ta pani bierze moje zaświadczenie, tamci siedzą i zaczynają generalnie się gotować. Czterech facetów, oni byli, zdaje się, z tej jednostki, w której miałem się znaleźć. Babka czyta na głos litanię moich chorób, oni tylu dział nie mieli w swojej jednostce. Czyta, czyta, czyta, coraz większe oczy robi i mówi: „No tak, momencik, proszę panów, to może ja poproszę"...

Wychodzi do pokoju obok, słyszymy, jak mówi: „Panie pułkowniku, mógłby pan spojrzeć". I wychodzi Rybak. Teraz już Rybak razem z tą „Rybaczewską" patrzą na moje pismo, czytają i Rybak mówi do tego „podrybaka": „Panie kapitanie, no ale tu sprawa jest jasna, zresztą wystarczy spojrzeć na pana". Czuję, że szala się przechyla na moją stronę.

Tamten facet za zielonym stołem wstał czerwony jak burak w swoim najbardziej purpurowym kolorze. Wziął to pismo i mówi do mnie: „Ale zobaczysz, gówniarzu, jeszcze cię dostanę! ". Gdyby mógł, wyrwałby mi szwy. Sytuacja była dla niego totalnie upokarzająca, a ja już na drugiej stronie życia, okopany na linii Rybaka i pani „Ryba-

czewskiej", oczywiście, nie mogłem sobie pozwolić na żaden cholerny uśmiech, ale wystarczyło, że patrzyłem na niego. Facet po prostu kipiał.

Rybak mi wpisał w książeczkę odroczenie, ale poszedłem za ciosem i w efekcie dostałem kategorię E.

Jak?

Przez te problemy z wątrobą, które się wtedy u mnie ujawniły. Wyszło na to, że w wojsku musiałbym mieć specjalną dietę. I tak byłaby armia Schwarzennegerów, Clintów Eastwoodów, i nagle co? Szymuś Majewski podchodzi po kapustkę i brokuły z anchois?

Uniknąłem wojska, ale totalnym rzutem na taśmę. To było jak światło punktowe na mój umysł. Gdy wróciłem do domu, to byłem z siebie taki dumny! Stwierdziłem, że wygrałem wielką walkę. Zagrałem strategicznie i przechytrzyłem ich. Genialne, sprytne, nieprawdopodobne, bystrzackie posunięcie!

Ponieważ te moje historie z armią były jakoś znane, przez długi czas zgłaszali się do mnie chłopcy z ruchu „Objecterów", czyli tych, co unikają służby wojskowej. Chcieli, żebym im ze wszystkimi szczegółami opowiadał swoje doświadczenia, co niniejszym teraz czynię.

Ten facet nie ma pokory

Po maturze, żebym się uspokoił, zalecono mi pantomimę. Chodziłem przez jakiś czas i to było za każdym razem jedyne półtorej godziny w moim życiu, kiedy nie mówiłem. Tylko coś tam sobie komentowałem wewnątrz. Trafiłem do zespołu Studio Kineo, złożonego z doświadczonych mimów. Był tam nawet facet od Tomaszewskiego.

Miałem 20 lat, nie zdałem na studia, mieszkałem u cioci, bo ukrywałem się przed wojskiem. Łapałem deprechę, ta pantomima to zawsze było jakieś zajęcie.

Popracowałem pół roku, gdy nasz zespół zaproszono do telewizji na nagranie recitalu Izabeli Trojanowskiej, która właśnie wróciła z Niemiec. Mieliśmy „robić tło". Reżyser rozdzielił zadania, ja grałem żołnierzyka i nagle słyszę, jak reżyser mówi: „Dajcie kamerę na niego, on to strasznie fajnie robi". Jedna czy dwie piosenki były z kamerą tylko na mnie. **Pierwszy raz w życiu poczułem taką prawdziwą satysfakcję. I z miejsca spotkałem się z agresją reszty zespołu. Odczułem, co to znaczy wyjść przed szereg.** Pod względem sztuki pantomimicznej pewnie zrobiłem to źle, ale zarazem fajnie, bo to się spodobało reżyserowi. I to oznaczało duży problem. Usłyszałem: „Ten facet nie ma pokory. Powinien znać swoje miejsce i siedzieć tam, gdzie inni siedzą".

Pomyślałem: „Zobacz, tak właśnie skonstruowany jest świat".

Zacząłem później przychodzić do tego reżysera, wymyślać swoje pantomimiczne pomysły, on oczywiście szybko zmęczył się moją twórczą energią, ale we mnie już się zaczęło. Aż się przestraszyłem, nie wiedziałem, co to jest, że mam tyle pomysłów: te słowa, które mi się rodzą w głowie, to wszystko, co sobie rysuję. Czy to mitomania, czy schiza jakaś, czy gen może jeden mam przetrącony? Nie wiedziałem, co ze mną będzie. Uznałem jednak, że pantomima jest nie dla mnie, bo zwyczajnie gadać nie można. Poszedłem studiować wiedzę o teatrze i tam się zaczęło…

***

Wcześniej próbowałeś dostać się na psychologię?

Na egzaminie z historii wylosowałem pytanie o sytuację gospodarczą na Górnym Śląsku w XIX wieku.

Powiedziałem: „Była zła".

Facet z komisji: „A może coś więcej?".

Ja: „Myślę, że nawet fatalna".

On: „To dziękujemy panu".

Za rok zdawałem ponownie. Znowu mam przed sobą wielki plik odwróconych pasków z pytaniami, wyciągam jeden i czytam: „Charakterystyka sytuacji gospodarczej na Górnym Śląsku w XIX wieku". To było to samo pytanie! Nie nauczyłem się tego, bo pomyślałem, że to się nie może zdarzyć.

A jednak!

Odpowiedziałem, że „sytuacja gospodarcza jest równie fatalna jak przed rokiem". Ten sam facet mnie oblał, nie zostałem psychologiem.

A jak to było z Twoimi studiami na Wydziale Wiedzy o Teatrze?

W 1990 roku wszystko w moim życiu zaczęło się jakby odkręcać, ponieważ wtedy się zaczęło radio, wtedy też zaczepiłem się na studiach jako wolny słuchacz.

Oczywiście – jak to Majewski – ja egzaminów nie potrafię zdawać. Do tej pory, jak staję do jakichkolwiek konkursów, to ducha rywalizacji kompletnie zlewam.

Lubię, jak wszyscy się cieszą. Nie wiem, dlaczego mam się cieszyć, a reszta – nie, więc na ogół daję ludziom wygrać. Taki dobry człowiek jestem, że nie muszę być pierwszy na mecie.

Na tych studiach, mimo że to była wiedza o teatrze, mimo że niektóre zajęcia były fajne, to po raz kolejny poczułem, że jestem w miejscu, które tak naprawdę nigdy mnie nie ciągnęło. I że znowu dopadło mnie to, co było powodem wszystkich moich problemów przez ostatnie lata. Czyli zrozumiałem, że jestem w kolejnej szkółce. Że znowu siedzę w ławce z podręcznikami, znowu kogoś słucham.

Chodziłem na tę wiedzę o teatrze jako wolny słuchacz w dwa lata po wieczorówce – to przez egzaminy na psychologię – lata przebujane z różnymi historiami. Na przykład w szpitalu odpracowywałem wojsko.

Na kolejnej komisji dostałem kategorię A3, więc postanowiliśmy z mamą, że może wyprzedzimy ich ruch.

A3, co to było?

Obrona cywilna, ale nawet tu nie chciałem wchodzić w żadne struktury. Mimo że byłem w harcerstwie, do munduru jakoś mnie nie ciągnęło. Panowie za mundurem nie sznurem, raczej panny.

Mama zaprowadziła mnie do głównej siostry oddziałowej i zacząłem odpracowywać wojsko w Centralnym Szpitalu Klinicznym przy Banacha. Przy obsłudze pieców parowych jako sterylizator.

Natychmiast zaczęły się akcje z siostrą oddziałową, ona była kolejną osobą, która nie rozumiała mojego poczucia humoru. Jako że „miałem pod sobą" dwa piece sterylizacyjne, jeden nazwałem „Ryszard rwie serce", a drugi „Stefan Batory". Tylko tyle że powiesiłem napisy. Ją to jakoś wkurzyło. Wydała mi polecenie służbowe, „żebym to zdjął natychmiast, bo to jest niepoważne!".

Wspomniałeś, że dziadek nie doczekał tego Twojego „przedwiośnia", a to on w dużej mierze Cię wychowywał.

Miał na imię Ignacy. Niesamowita postać. We wszystkich możliwych wojnach brał udział. 1920 rok – proszę bardzo, miał 16-17 lat wtedy. No, oczywiście, wiadomo powstanie… był dowódcą kompanii w batalionie Bełt, dowódcą tej największej barykady w Alejach Jerozolimskich.

Ponieważ moi rodzice się rozstali, dziadek był bardzo dla mnie ważny. Byłem w niego wpatrzony.

Był rozgoryczony tym, co AK-owcom zrobiono po wojnie?

Rozgoryczony – nie. Wściekły! Oczywiście, nienawidził komunistów. W mieszkaniu przez długi czas był ślad po filiżance, którą dziadek rzucił w Jerzego Urbana w momencie, kiedy Jerzy Urban prowadził jedną ze swoich konferencji prasowych.

W dzieciństwie o siódmej rano budził mnie dziennik BBC: „Tu mówi Londyn, dziennik BBC, nadajemy audycję po polsku". Budziłem się i pierwsze, co rano widziałem, to jak dziadek pochylony nad radiem radzieckim słuchał wiadomości. A to, że na radzieckim radiu, uznawał za element zwycięstwa dobrego nad złym. Oto właśnie komunistyczne pieprzone radio, które się nazywało Spidola, służyło mu do nasłuchiwania Londynu. Okazało się, że Rosjanie zrobili bardzo silny odbiornik, który dawał radę zagłuszarkom.

Wypas na łące. Moje pierwsze wakacje w Ulanowie nad Sanem.

A Wolnej Europy słuchał?

Też, ale Londyn uwielbiał najbardziej. Do dziś pamiętam tę jego czerwoną łysą głowę pochyloną nad radiem. Uszy dosłownie rozpalone od słuchawek, uniki robił gałką, jak mu Sowieci zagłuszali falę. Potem była trzyminutowa lekcja języka angielskiego i znów skrót wiadomości. I po takim poranku ja – naładowany młody rewolucjonista – musiałem iść do szkoły i słuchać o wyższości Związku Radzieckiego nad Polską i w ogóle wszystkimi innymi krajami.

I?

W ósmej klasie, w czasie „pierwszej Solidarności", jako jeden z pierwszych w klasie zrobiłem odważny referat. O Katyniu. Miałem taką fajną panią od historii, panią Brodę, która redagowała „Zeszyty Solidarności". Że też w ogóle jej pozwolili w tej szkole uczyć...

Referat był na podstawie książek *Katyń w świetle dokumentów* i *Listy katyńskiej*. Takie książki ludzie sobie wtedy pożyczali po domach. My wtedy mieliśmy psa Muchę. Gdy Mucha nie mogła się pogodzić z tym, że państwa nie ma, zjadła nam połowę *Listy katyńskiej*. Równo naokoło obwoluty obżarła. Cóż mój dziadek musiał wykonać za pracę... a zaczęło się od tego, że prawie zawału dostał, jak zobaczył Muchy dzieło.

Ta książka znajdowała się wtedy w obiegu, trudno było nawet dociec, kto ją pożyczył jako pierwszy. Natomiast w łańcuszku czekali następni czytelnicy. Nie oddać, to był dyshonor. Trzeba było szybko znaleźć introligatora. Ale jak znaleźć takiego, który oprawi, a nie doniesie? Pamiętam, że we trójkę, z mamą, zastanawialiśmy się, czy dziadek ma wejść do zakładu i na przykład od drzwi pokazać victorię.

Dziadek pisywał listy do wszystkich czerwonych gazet – od „Trybuny Ludu" do „Żołnierza Wolności", do telewizji też pisał. Swoje listy podpisywał Małgorzata Ogonek.

Ażeby przechytrzyć system komunistyczny i zwieść grafologa, trzymał długopis lewą ręką. Uwielbiał żartować i w tych listach sobie nie żałował.

Kiedyś ktoś do nas zadzwonił i powiedział dziadkowi: „Jutro umrzesz", i ja – mały wnusio siedzący pod stołem – usłyszałem, jak dziadek odpowiada do słuchawki: „A ty się dzisiaj zesrasz".

Muszę tu dobitnie podkreślić, że dzięki dziadkowi myśmy z mamą jakoś normalnie żyli, bo jego emeryturka, a był emerytowanym pracownikiem Banku Rolnego, pozwalała nam wiązać koniec z końcem.

No, i on był moją nianką właściwie. Przez długi czas spędzałem z nim po parę miesięcy w roku sam na sam. To były niesamowite wakacje na wsi. Kultową miejscowością stały się dla mnie Zwolaki koło Ulanowa.

Gdzie to jest?

Południowy wschód Polski, końcówka Roztocza, bliżej Stalowej Woli. Ulanów to dawne flisackie miasteczko nad Sanem. Moja ciotka po powstaniu trafiła z Warszawy do tego Ulanowa i tam już została. Myśmy z dziadkiem jeździli w te okolice.

Najdłuższe moje wakacje z dziadkiem trwały pół roku. Dziadek brał mnie, dwu-, trzyletniego, w kwietniu i wracał do Warszawy w październiku. Prawie cały mój dobytek mama z dziadkiem wieźli wtedy do Ulanowa, wynajmowali mieszkanie koło poczty – w małym, fajnym miasteczku, prawa miejskie od tysiąc sześćset któregoś roku.

Pamiętam, jak dziadek woził mnie w koszyku na rowerze. Potem, gdy podrosłem, z miasteczka przenieśliśmy się właśnie „na te Zwolaki". Moim udziałem stał się czar stodół, obórek, rzeki Tanew – bardzo ładna rzeczka, choć mała, można było przejść ją wpław z jednego brzegu na drugi. Ale zakola miała piękne. Dziadek uczył mnie w nich pływać, zawsze osobiście sprawdzał, czy można skakać na główkę. Pamiętam, jak wchodził do wody i badał, czy teren jest czysty, czy są korzenie, a może kamień leży.

Mówił: „No, Szymku, teraz możesz skakać". I, kurde, wszystko to mam po nim. Jedziemy z dziećmi się kąpać i najpierw sprawdzam, czy nie ma korzeni. **Nad morzem przeżywam koszmar, bo reszta rodziców siedzi za parawanami, a ja dwa metry od brzegu pilnuję połowy dzieciaków na plaży.**

Zaczynam od obserwowania swoich. Potem, „przy okazji", patrzę na trzecie, czwarte dziecko… i po paru minutach pilnuję już całej plaży.

Na Zwolaki dziadek jeszcze przed wyjazdem dzwonił i obstalowywał, żeby było dla nas mleko. Potem codziennie rano, kiedy Szymuś się wysypiał, dziadek walił przez całą wieś po mleko na rowerze, swoim słyn-

Spacer buntownika. Od małego kontestowałem nudną rzeczywistość.

nym Diamancie. Przywoził je, wstawiał na piec na ser, robił też zupy mleczne – wszystko było na tym mleku, tu pierogi z serem, tam jagody ze śmietaną. I ryby. Jedliśmy to, co dawał las i rzeka. „Jak ryba złapana, zawsze jesteśmy do przodu, bo mamy posiłek", powtarzał.

Co jeszcze pamiętasz z tych dziecięcych wakacji?

Niesamowity był już sam wyjazd. Wyjechać to nie było takie hop-siup. Tam nie było dosłownie nic. Myśmy brali nawet garnki. Powrót z wakacji... to było przedsięwzięcie o skali zbombardowania przez Amerykanów meteorytu w kosmosie. To mogą zrobić tylko Amerykanie i za to ich kochamy, a za inne rzeczy – nie.

Natomiast myśmy kochali dziadka i dziadek jako nasz prezydent George W. Bush był w stanie zorganizować następującą rzecz: mama, ja, pies Mucha, dziadek, ewentualnie kuzyn Paweł. Mieliśmy parę plecaków, trzy, cztery rowery, zbiory Szymusia typu gigantyczny korzeń wyłowiony z dna rzeki, miody, kiełbasę, dwa wiadra po 20 kilo jeżyn z jeżynowym sokiem, zasypanych cukrem. I z tym wszystkim do pociągu, który na stacji zatrzymywał się na pięć minut.

Już same wiadra z jeżynami są niesamowite.

Dziadek zabezpieczał je drutami, foliami. Wsiadaliśmy w Stalowej Woli, tam pociąg już był pełen. Rowerów przecież nie można było zabrać do przedziału, był specjalny wagon pocztowy, do którego trzeba było je zanieść, a – powtarzam – pociąg stał pięć minut. I dziadek umiał to wszystko zorganizować. Co roku sprawiał, że my i te bagaże dojeżdżaliśmy cało do Warszawy. Był dowódcą barykady, więc umiał to wszystko załatwić tak, żeby nikt nie zginął. Stan: czterech wyjechało, czterech wracało.

Gorzej od dziadka radziła sobie poczta. Bo dziadek miał system wysyłki części bagaży. Poczta do tej pory nie dostarczyła nam nadanego jako przesyłka roweru – niebieskiego Jubilata mojej mamy.

Czekamy od 1977 roku.

Tu system wygrywał, choć dziadek, żeby przechytrzyć pocztowych złodziei, robił specjalne paczki. To wyglądało jak próby do Kantorowskich spektakli. Kantor uczył aktorów, jak się robi paczkę, dziadek uczył tego samego nas. Jego paczki musiały być takie, żeby się nie wyróżniały wyglądem ani nie sugerowały na przykład dźwiękami, co jest w środku. A dziadek nadawał ponton, garnki, koce, w porywach – kajak.

Proces pakowania zaczynał się tydzień przed powrotem z wakacji.

Dziadek wiedział, kiedy co trzeba nadać, żeby trafiło do Warszawy po naszym powrocie. Pamiętam całe wakacyjne mieszkanie zasypane rzeczami. Dziadek kupował papier – oczywiście nie mógł być byle jaki. Jak pakował garnki, to żeby nie latały w środku, owijał każdy w ręcznik, do środka ładował swoje zwinięte koszule, potem wkładał mniejszy owinięty garnek w większy owinięty garnek. To wszystko okładał kocami i paroma warstwami papieru. Adres na paczce musiał być idealnie według wzoru zalecanego przez pocztę, dziadek był dokładny jak GPS. Kolejna podstawowa sprawa – dobór sznurka, nie mógł się rwać. Dziadek go specjalnie skręcał.

McGyver...

...prawda. Miał na przykład taczankę, jego zdaniem niezbędną na wakacjach. Taczanka to było urządzenie do przenoszenia nieporęcznych ciężarów, na przykład pięciu baniek z mlekiem. Długa, na wysokość dorosłego człowieka, z dwoma kółkami od dziecinnego wózka na dole.

Taczanka służyła mu wiele sezonów, „zimowała" w naszej ochockiej piwnicy.

Jaki jeszcze był?

Źle słyszał, miał z tego powodu wiele konfliktów i wiele zadym. Był troszeczkę cholerykiem, ale jego wybuchowość brała się właśnie z tego, że nie zawsze dosłyszał, o co chodzi. Wielokrotnie musiałem różne rzeczy prostować. Dziadka doprowadzało do szału, że ktoś siedzi sam w przedziale, a mówi: „Zajęte". Ten ktoś mówił: „Dowiedziałem się, że zajęte", dziadek nie dosłyszał „dowiedziałem się". Już leciał na tego faceta z: „Cholera jasna, psiakrew, co mi pan tu opowiada". Już chciał się bić. Musiałem mediować: „Dziadek, bo nie usłyszałeś, pan powiedział, że dowiedział się, że zajęte, ale nie jest pewien, czy zajęte".

Do dziś pamiętam, jak moja mama dzwoni do nas do domu, dziadek odbiera telefon i słyszę, jak mówi: „Dobrze, dobrze, Marysiu, rozumiem". Mama skończyła swój wywód i dziadek prosi: „Marysiu, poczekaj, jest tylko jedna rzecz, bo chcę się upewnić, czy mam rozstawić namiot w pokoju?".

Dziadek bardzo prędko wyczuł, że Szymuś ma, nazwijmy to, „predyspozycje komediowe". Miałem 12 lat, a dziadek dostawał szału, gdy słyszał muzykę rozrywkową. A już najbardziej irytowało go, jak ówczesna młodzież tańczyła, poruszając tyłkami na boki. Opracowałem „na ten temat" supernumer, który dziadek uwielbiał. W czasie jednego z naszych powrotów z wakacji stał się hitem wszystkich przedziałów.

Najpierw było podprowadzenie. Dziadek mówił o tym, jak to współczesna młodzież tańczy, jak on to obserwował – Sopot czy inny Kołobrzeg – i zwracał się do mnie: „Dobra, Szymuś, a teraz pokaż, jak ta młodzież tańczy". Po czym Szymuś wstawał i kręcił dupką na boki ku uciesze wszystkich pań i panów. Jeżyny się prawie wylewały, a dziadek miał odrobioną lekcję, bo wnusio pokazał, jak współczesna młodzież tańczy.

Jedne z ostatnich wspólnych wakacji, na zdjęciu jest mój mały kuzyn Karol – Lokuś.

Opowiadał Ci o wojnie?

W powstaniu warszawskim był już dojrzałym facetem, jak wybuchło miał czterdzieści parę lat. Dla niego to nie były wspomnienia buntowniczej młodości.

Był oficerem. Wyszedł do powstania, zostawiając rodzinę, dzieci, w tym moją mamę, która dopiero co się urodziła. Decyzja takiego mężczyzny była świadoma. A jeszcze to posiadanie 16-, 17-letnich podkomendnych. Musiał się czuć, jakby dowodził własnymi dziećmi.

Jak go pytałem o wspomnienia, mówił: „Wyobraź sobie, że wydajesz rozkaz przeprowadzenia ataku i wiesz, że z tych dziesięciu chłopaków za chwilę może ci zostać siedmiu". To nieprawdopodobne. Mam wrażenie, że każdy z nas jest pieszczony przez los, bo nie musimy podejmować takich decyzji.

Pamiętam przecież, jak będąc oboźnym na obozie harcerskim i pilnując na pomoście kąpiących się dzieciaków, a miałem 16 lat i pilnowałem 12-latków, już czułem tę odpowiedzialność. Poszło mi w nadmiar kontroli, wytresowaliśmy ich z kumplem ratownikiem jak psiaki. Każdy musiał się zgłaszać z wody na gwizdek. I obsesyjnie ich liczyłem.

A dziadek miał pod sobą 30-40 osób, których życie zależało od jednego jego słowa. Dlatego za każdym razem, gdy myślę o powstaniu warszawskim, to myślę o tych chłopakach i o dziadku. Myślę o dowódcach, o ludziach, którzy wydawali rozkaz, widząc twarze tych, których być może nie mieli szansy spotkać za parę godzin.

Często o tym myślisz?

Byliśmy z dziećmi w Muzeum Powstania. Zośka zrobiła album o powstaniu. Mój syn ma na imię Antek, bo to mi się kojarzyło z Warszawą i imieniem warszawskim – od Antka Rozpylacza.

Mały Powstaniec z pomnika miał 12 lat, mój syn ma w tej chwili 12. Mówię mu: „Wyobraź sobie, że ten chłopak dostał granat". Oczywiście, w pierwszym porywie każdy chłopak odpowie: „No, fajnie, miał granat". Dopiero potem dotrze do niego, co to naprawdę znaczy.

W rodzinie mamy zrobioną przez dziadka papierośnicę z symbolem Polski Walczącej, mundur powstańczy dziadka wkrótce będzie przekazany do Muzeum Powstania Warszawskiego. Jego żołnierze chcą ten mundur przenieść z Izby Pamięci Technikum Kolejowego, bo w muzeum w ogóle nie ma takich eksponatów. Przez długi czas mundur był u nas w domu. Nie wiem, jak go dziadek schował, przeniósł przez obóz jeniecki. Nigdy go o to nie dopytałem.

Jak wygląda?

Szary płaszcz z biało-czerwonymi naszywkami plus pas i furażerka. Są na nim jeszcze ślady krwi, bo dziadek był ranny.

Rok 1946, dziadek w mundurze US Army.

Co się z dziadkiem działo po powstaniu?

Dwa lata służył w armii amerykańskiej. Po powstaniu warszawskim poszedł do niewoli i trafił do oflagu w Murnau w Bawarii, który wyzwolili Amerykanie. To był zresztą totalny przypadek, bo te amerykańskie czołgi pomyliły drogę. A do obozu jechała już kolumna Niemców, która być może chciała go likwidować. Spotkali się przed bramą. Doszło do krótkiej wymiany ognia.

Potem dziadek był we Włoszech u Pattona i czekał na wojnę z Rosją. Jak wszyscy tam Polacy wierzył, że Stany rozprawią się z Sowietami i wyzwolą Polskę. Gówno prawda to była, ale dzięki tej służbie mam pamiątkę – dziadkowy wór z US Army – woziłem go na obozy harcerskie. Z kolei dziadek długie lata jadł z menażki amerykańskim niezbędnikiem.

Wielka rodzinna pamiątka – dziadek w oflagu w Murnau.

Po co?

Nie potrafił inaczej. Przyzwyczajenie człowieka wojny było tak silne, że jak mama robiła zupę, to dziadek najpierw jadł z nami przy stole w jadalni, a potem szedł do kuchni, zdejmował garnek, rwał chleb, wrzucał do tego garnka i jadł tym amerykańskim niezbędnikiem. Dopiero to mu naprawdę smakowało.

Te jego wojskowe nawyki się przydawały. W latach 70. byliśmy nad morzem, zawsze uwielbialiśmy odludne miejsca, więc z mamą i dziadkiem chodziliśmy na wydmy – nie tam, gdzie wszyscy. Miałem plastikowy pistolet łudząco podobny do prawdziwego, a dziadek, jak mu się ubrania z US Army podarły, szył sobie ciuchy w wojskowym stylu: zielona furażerka, zielona bluza, zielone spodnie. Wyglądał na kolesia mającego coś wspólnego z wojskiem.

I na tych wydmach dał dowód niesłychanego sprytu i błyskotliwości. Siedzieliśmy sami: mama i ja, dziadek nieopodal w lesie. Bawiłem się tym pistoletem. Nagle z wydm zeszło ku nam pięciu kolesiów wyglądających naprawdę niezbyt przyjaźnie – dwóch z tatuażami, totalne zakapiory. Zobaczyli nas, torebkę mojej mamy. Dziadek, widząc to – a stał pod lasem w tym zielonym mundurze – gdy byli siedem metrów od nas, po prostu powiedział: „Szymek, tylko uważaj, nie repetuj, bo nabity". Faceci w sekundę zrobili w tył zwrot i odeszli. Mogli pomyśleć, że to wojskowy i jego dziecko po prostu bawi się bronią. Megagreps!

Paru rzeczy o poruszaniu się w „miejskiej dżungli" dziadek mnie nauczył, choć i tak nie uniknąłem tego, że kiedyś dostałem. Ale nauczył mnie, że jeżeli wracam w nocy (dalej mieszkaliśmy na Ochocie), a nie jeżdżą już samochody, to mam iść środkiem ulicy. Mówił: „Nie chodź koło bram, bo ktoś tam będzie stał, jest ciemno, nie zauważysz, wciągną cię i spuszczą ci łomot".

Po nim chyba mam refleks, który wyratował mnie w czasie mojej słynnej akcji „obrona kobiety w tramwaju". Miało to miejsce na linii plac Narutowicza – kino Ochota.

Ja – 16 lat, długie włosy – widzę, jak trzech pijanych facetów zaczepia kobietę w bardzo niewybredny sposób. Jeden podstawił jej gazetę pod twarz, drugi klepnął. Podchodzę i mówię: „Niech panowie zostawią tę panią, bo sobie nie życzę, proszę tak nie robić". Ich uwaga natychmiast skupiła się na mnie – jest pretekst, koleś zaczął:

„A co, coś ci się nie podoba?"

„Tak, nie podoba mi się takie zachowanie".

„To wyjdźmy".

Praktycznie nie miałem szans. Pamiętam, że wychodziłem z tego tramwaju z zamiarem, że na przystanku im ucieknę. I spotkałem wzrok motorniczego. Facet koło trzydziestki, zrozumiał chyba, co się dzieje. Wyszedłem, oni za mną, okrążyli mnie, odcięli od ulicy, a ja wtedy wskoczyłem do tramwaju i facet zamknął drzwi. No, i tutaj sobie pofolgowałem – Szymek otworzył okno i jeszcze im zasunął: „No co? Dogońcie mnie, złapcie na następnym przystanku, cha, cha". Kobieta oczywiście mi dziękowała, czułem się jak Robin Hood. Zobaczyć miny tych facetów, to była wielka satysfakcja.

Dziadek utrzymywał Cię w wojskowym drylu?

Bardziej siebie. Musiał wstawać „do dnia" – to jego słynne powiedzenie – czyli wcześnie rano. Nawet na wakacjach miał potrzebę spędzania czasu efektywnie, bez przerwy chodził na ryby, które mnie strasznie nudziły, mówił na to „zarybaczymy". To jego sprawdzanie, badanie terenu, czy jest bezpiecznie, też było z wojska.

Pamiętam, jak z moim kuzynem bawiliśmy się na sianie w stodole.

Zakładaliśmy tam bazy, barykady. Dziadek nagle się pojawił i zadał pytanie: „A co się stanie, jeśli stodoła zacznie się palić od tej strony, od której weszliście?". Oczywiście nie wiedzieliśmy. I dziadek spędził z nami w tej stodole pół dnia, żeby sprytnie wymontować dwie konkretne deski, co w razie czego miało nam zapewnić odwrót.

Nauczył mnie też bezpiecznego chodzenia po drzewach.

To znaczy?

Zwracał uwagę, żeby noga zawsze miała punkt zaczepienia, żebym ani przez chwilę nie wisiał tylko na rękach. Mówił: „Nie możesz mieć tylko jednego punktu zaczepienia".

Poskutkowało?

Raz zleciałem, ale lot zamortyzowały gałęzie. Wiele razy było za to tak, że biegło pół Zwolaków, bo ktoś krzyczał, że nie dość, że jestem na samym czubku, to jeszcze przechodzę z jednego drzewa na drugie.

Po prostu miałem do tego dryg. **Do tej pory mam tendencję, że jak jadę na wakacje, to przynajmniej na jedno drzewo muszę wejść.**

Syn Cię naśladuje?

Od razu, jak o tym powiedziałem, zastanowiłem się, czy chciałbym, żeby Antek chodził po drzewach. Jak się to robi dobrze, to chyba nie powinno być paniki, ale czuję, że trochę bym się obawiał o niego. Ja przynajmniej osiągnąłem jakąś klasę mistrzowską.

Na czym ona polegała?

Na obozie harcerskim montowaliśmy maszt na drzewie – na naszą flagę. Przy pomocy paska i dwóch sznurów wspinałem się na całkowicie gołą sosnę. Paskiem byłem przyczepiony do pnia, a podciągałem się na pętlach ze sznurów. Był dosyć gorący dzień, wiał wiatr, drzewo się bujało i zaczęło mi się kręcić w głowie. Czułem, że zaraz zemdleję – na wysokości 15 metrów. To była najwyższa sosna na terenie obozu. Jedyna godna naszej flagi. W ostatnim odruchu świadomości obciąłem te sznurki i zjechałem na nogach. Gdybym zemdlał, pewnie okorowałbym to drzewo.

Dobrze, że miałeś czym się odciąć.

Dziadek uważał, że nim gdziekolwiek wyjadę, muszę być zaopatrzony w porządny scyzoryk. Dla niego scyzoryk to była podstawa.

Niesamowicie barwne przeżycia mu zawdzięczasz.

Jeśli teraz powiesz dziecku: „Jedziemy na wieś", czyli w domyśle oglądamy krowy, świnie, konie, koty, będziemy dwa i pół miesiąca w jednym miejscu... to jeżeli nie stworzysz mu ekstremalnych przeżyć – rowery, kajaki, hula gula – zaraz zacznie się nudzić.

Ja w swoje wakacje na przykład pięć dni pomagałem przy żniwach – normalnie zwoziłem fury, nosiłem siano. Budowali garaż w tej wiejskiej zagrodzie, w której mieszkaliśmy u państwa Wolaninów w Zwolakach. Ja przynajmniej nalewałem wodę do betoniarki, nosiłem wiadra. Pracowałem przy pogłębianiu studni... jedyna rzecz, w której nie brałem udziału, to zabijanie baranów i owiec, generalnie mama mi to odradziła. Te wakacje to było dwa i pół miesiąca siedzenia w jednym miejscu i uczestniczenia w życiu tego miejsca. I niesamowitych przygód, na przykład jesteśmy na wakacjach – ja, mój kuzyn – wokół Lasy Janowskie, niesamowite miejsce, puszcza, gęsto. Dochodzimy do małej rzeczki i nagle dziadek rzuca hasło: „Idziemy do źródła tej rzeki". Założyliśmy kalosze, weszliśmy do rzeki, woda natychmiast się nam do kaloszy nalała, ale szliśmy parę kilometrów w górę tej małej rzeczki, miała chyba z półtora metra szerokości, i doszliśmy do samego jej źródła. Wybijała z dołu w ziemi. Takie to były dziadka pomysły.

Co wtedy było dla Ciebie najfajniejsze?

Właśnie las. Chodziłem po lesie sam albo z kuzynem. **Do tej pory, jak chcę naprawdę wypocząć, to biorę psa, rower i jedziemy ze znajomymi do lasu, wynajdujemy sobie polankę, gdzie w ogóle nikogo nie ma, i tam leżymy.** Za miejscami typu Rodos nie tęsknię, a właściwie to ich unikam. To nawet nie jest kwestia obawy przed wielbicielami, myślę, że na Rodos nie miałbym takiego wzięcia.

Mama do was na wieś dojeżdżała?

Czasem tak, ale z reguły spędzałem dwa i pół miesiąca tylko z dziadkiem. Pamiętam, jak mieszkaliśmy „na Dąbrowicy" u starej Pieśniakowskiej – to była miejscowość obok Zwolaków. I nagle Pieśniakowska zapadła na zdrowiu, zawieźli ją do szpitala, a całe gospodarstwo zostało na naszej głowie. Mojej i mojego dziadka – na przykład dojenie krów.

Dziadek sobie poradził?

Tak. Ja też mu pomagałem. Trwało to ze dwa tygodnie. Mieliśmy tam takiego skurczybyka, złośliwego koguta, który po prostu wyczuł, że nie ma starej Pieśniakowskiej, w związku z tym robił nam na złość...

Kogut?

Ładował się do pokoju, coś wyjadał w kuchni. Dziadek rozprawiał się z tym ptaszyskiem, co objawiało się codziennym wylotem koguta z ganku. Ten dom był trochę na uboczu i pamiętam, jak kiedyś w czasie burzy zrozumiałem, że dziadek sam do końca nie czuje się bezpiecznie. Spał z wielkim kuchennym nożem pod poduszką.

Jednak się czegoś bał.

On zawsze spychał siebie na dalszy plan, nie chodziło mu o własne bezpieczeństwo. Wszystko robił dla rodziny. Główny jego cel: dobro wnuków. Spokojny sen dziecka przyszłością narodu. Kiedyś wybraliśmy się na biwak do lasu. W lesie dziadek przystąpił do planowania obozu, budowy latryny i tym podobne. Problem w tym, że mieliśmy jeden dwuosobowy namiot, a było nas czterech: wujek, mój kuzyn, ja i dziadek. Wszyscy się usadowili, położyli się spać, a dziadek tylko: „Za chwilę, za chwilę". I w ogóle nie wszedł do namiotu. Całą noc spał pod drzewem. Z saperką u boku pilnował obozowiska. To, że nas pilnował, odkryliśmy dopiero rano.

Wtedy traktowałem to, że dziadek Ignacy, powstańczy pseudonim Skiba, śpi pod drzewem z saperką, jako coś zupełnie oczywistego. Te moje wakacje na wsi, a nie w ośrodku FWP, te nocne biwaki, pływanie w rzece – to wszystko było normalne, właściwie oczywiste.

Dopiero dużo później, kiedy konfrontowałem moje wspomnienia wakacyjne z opowieściami kolegów, zobaczyłem, jak kolorowy świat stał się moim udziałem dzięki dziadkowi.

Zawsze, kiedy później wracałem w te okolice, chodziłem oglądać „nasze miejsca", a w głowie miałem cytat z Kaczmarskiego: „Tutaj był Rzym, tu była Grecja". Tych zagród w większości już nie ma, są tylko moje wspomnienia – tu się bawiłem za stodołą, tam grałem w piłkę. Wtedy wakacje kompletnie mi się nie dłużyły, a dziś myślę, że były jednym z barwniejszych przeżyć w moim życiu.

W Warszawie też dziadek się sprawdzał?

Jako małe dziecko uwielbiałem chorować, bo jak miałem grypę, to zostawałem z nim w domu. Leżałem w łóżku i przeglądałem czterotomową encyklopedię PWN. W pewnym okresie miałem dzięki temu strasznie pobieżną wiedzę, ale na wszystkie tematy. Padało hasło: malarstwo Goi, a ja widziałem *Maję nagą*, bo była taka reprodukcja w encyklopedii.

No, i ja w łóżku z tą encyklopedią, a dziadek malował. Nie był mistrzem, ale nie były to też makabryczne landszafty, po prostu zwykłe pejzaże, martwe natury. Podpisywał je Skiba.

Jak się lepiej poczułem, mogłem leżeć na poduszkach pod stołem.

Cały czas widziałem buty dziadka i to, jak dziadek pędzlem rozrabia farbę. W tle grała radiowa Jedynka, audycja *Z malowanej skrzyni* – mam w uszach głosy tych wszystkich lektorów.

Więc przez okno słońce wpada do pokoju, leżę pod stołem, widzę, jak obraz powoli powstaje. Dziadek już namalował drzewo, zaczyna się malowanie nieba, dziadek bierze niebieską farbę. Miał paletę ze starej gitary. Dziadek nie rozmawiał wtedy ze mną. Mówił do siebie.

Malował, robił pięć minut przerwy i nagle słyszę: „Jakie buty? Takie buty, z cholewami!". Nie wiedziałem, co to są cholewy. Albo leciały przekleństwa typu psiakrew, cholera jasna.

Czasem, gdy byłem chory, wymyślał mi zabawy. Robił na przykład kolej linową. Na sznurku, który przebiegał przez całe nasze mieszkanie-kiszkę, powstawał taki mechanizm, że wagony z klocków jeździły w górę i w dół na zasadzie zapadni.

I wszystko reperował, nie było rzeczy, której nie umiałby naprawić. Reperował nawet moje okulary, które bez przerwy rozwalałem. A musiałem je nosić, bo miałem lekkiego zeza. Wtedy zdobyć nowe okulary, to nie była prosta sprawa, była na to recepta, a do wyboru dwie pary oprawek na cały salon. Grałem w piłkę, wpadałem na zjeżdżalnię i okulary się rozwalały. A potem dziadek tu sklejał, tu nawiercał...

Co wiesz o jego dzieciństwie?

Był sierotą. Jego rodzice zmarli dosyć wcześnie, więc on się właściwie wychowywał gdzieś kątem. W gimnazjum na jakimś stryszku mieszkał. Tułał się. Miał paręna-

ście lat, gdy w 1920 roku zaciągnął się do wojska. Mimo tych przeżyć miał totalne poczucie humoru. Śmiał się nawet z samego siebie, ze swojego wyglądu. Był łysy, niewysokiego wzrostu, a z rozmysłem szył sobie śmieszne pantalony, moja mama z ich powodu „odpadała". To były kąpielówki z grubą czerwoną gumą w pasie i gumkami pod kolanami. Mama mówiła, że wygląda w nich jak cyrkowiec z trupy Mortale.

Po wojnie miał dylemat, czy wracać do Polski?

On miał zdolności plastyczne. Zajmował się na przykład intarsją. W US Army jeden pułkownik chciał z nim w Stanach otwierać warsztat. Ale dziadek miał trójkę dzieci, wychowywała je moja babcia, która słała mu rozpaczliwe listy. Mijał 46, 47 rok, ona sama w gruzach Warszawy, trzecia wojna się nie kroiła, więc dziadek zdecydował, że wraca.

Nie miał kłopotów?

Do 56 roku UB ściągało go z ulicy, ciągle miał kłopoty, ale więzienia uniknął. Choć miał poczucie, że ciągle wokół niego krążą.

Za mojego życia dziadek z systemem nie mógł już wygrać, bo był stary, schorowany i za słaby, ale do końca walczył z drobnymi absurdami i nieuczciwościami naszej rzeczywistości. Strasznie go na przykład denerwowały tak zwane hieny cmentarne, więc opracował cały system zabezpieczeń dla goździków i innych kwiatów. Właściwie to chyba chciał tym hienom pokazać, kto będzie górą. Obcinał kwiaty tuż przy samej szyjce i kładł na płycie czy wieńcu. Wyglądały ładnie, ale jak brałeś za łodygi...

Gdy w PRL-u odbywały się jakiekolwiek wybory, które, jak wiadomo, były totalną ustawką, bo zawsze wygrywał ten, kto miał wygrać, dziadek mówił: „Jeszcze jestem w stanie zrozumieć młodych ludzi, którzy głosują. Ich jedyna rzeczywistość to »Trybuna Ludu« albo są zastraszeni, albo robią to z czysto koniunkturalnych przyczyn". Do szału za to doprowadzali go starzy, którzy brali udział w wyborach i, nie mając już absolutnie żadnych perspektyw, cały czas głosowali na system. Nie wiedział, czego oni mieliby się bać. Pytał swoich kolegów: „Co, zastrzelą cię? Ciebie, starego piernika?".

Zawsze ustawiał się z psem pod komisją wyborczą, opierał się na swojej lasce, patrzył na wszystkich starych kolegów, którzy głosowali, i szydził z nich: „A ty po co idziesz na te wybory? Co zmienisz? Czy ty wierzysz, że to są normalne wybory?". Potem ci zawstydzeni biedacy najpierw filowali, czy mój dziadek w ogóle tam stoi. To było dla nich nie do wytrzymania, że punktował ich tchórzostwo. Jego najlepszy przyjaciel chodził głosować po zmroku, kiedy miał pewność, że dziadek siedzi w domu.

Wycofał się w życie prywatne, zajmował się mną, jeździł na rowerze, skakał na główkę do wody, ale pływał już własnym dziwnym stylem – na boku. Prowadził rodzinny notatnik – gdzie zamówione maliny, gdzie kartofle – wszystko zapisywał. Nie cierpiał starości nawet jako starszy człowiek. A może raczej nienawidził faktu poddania się.

Denerwowali go ludzie, którzy spędzali ostatnie 20 lat życia na ławkach, obserwując sąsiadów. Jak razem wychodziliśmy i widział emerytki plotkujące na skwerku, mówił: „O, znowu te gropy. Boże, jak je ominąć".

Był bardziej jak ojciec czy jak kumpel?

Wiadomo, że dziadek nie poszedł ze mną pograć w piłkę na boisku, ale myślę teraz, że gdybym go o to poprosił, nie byłoby problemu. I rower mi zawsze przejrzał. Teraz zawozi się rower po zimie do serwisu i odbiera gotowy. Wtedy dziadek wszystko sam rozkręcał, tu pompował, tam oliwił, tu towot dał. Narzekałem: „Dziadek, już chcę jeździć", a on: „Nie, Szymuś, każdą część trzeba sprawdzić".

Zmarł w 1989 roku, myśmy wtedy połowę rzeczy mieli na wakacjach i tam został jego rower. Na tym rowerze jeszcze pół wsi potem jeździło. Dwa lata temu go wytropiłem. Pojechałem tam, tropiłem pół dnia, obchodziłem, pytałem się. I trafiłem do faceta, który miał ten rower. Nie chciał mi go dać, powiedział, że dziadek ten rower teoretycznie mu podarował. Musiałem wyłożyć „za opiekę" 50 zł.

To piękny stary rower, niemiecki Diamant. Za czasów dziadka był supersprawny, teraz totalnie rozwalony. Mam zamiar go odnowić, ale z oryginalnymi częściami. Był zielony, słyszałem, że teraz można sprowadzić nawet konkretną farbę, taką jak w oryginalnej wersji.

A miał wady? – oczywiście dziadek, nie rower.

Pamiętam siebie w liceum: podarta koszula, okres buntu, właśnie wystąpiłem z harcerstwa. Nagle woźna wchodzi do klasy, uwaga – siedzą przecież wszystkie dziewczyny, ja w połowie z nich zadurzony. I ta woźna mówi: „Przepraszam, ale ktoś jest do Szymka", zza niej wychyla się dziadek ze słowami: „Szymusiu, przepraszam, zostawiłeś drugie śniadanie w domu". Miałem łzy w oczach. Z jednej strony oczywiście klasa w śmiech, a z drugiej, jak pomyślałem, że chciało mu się iść o lasce z moim drugim śniadaniem... Przecież połowy tych śniadań nawet nie jadłem, rozdawałem kumplom. To taki człowiek był.

Które z Twoich zachowań dziadek tępił?

Prawda była taka, że to ja wpadłem z nim w dziki konflikt. W czasach liceum zacząłem prowokować dziadka, zaczepiać go, negować ten jego świat, jego wartości.

Krytykować Piłsudskiego. Ostro manifestować moje – wówczas skrajnie lewicowe – poglądy. Dziadek był w PPS-ie, komunistów nie za bardzo uważał, a anarchistów to już w ogóle. Był z patriotycznego obozu. A ja mu tłumaczyłem, że właściwie to granic nie powinno być. **Dziadek mimo wszystko powtarzał mojej mamie: „To jest w porządku chłopak, on się jakoś wykaraska".** Czuł, że od 16. roku życia nie mogę znaleźć miejsca.

Miałem w szkole jeden zeszyt, w którym rysowałem, zamiast pisać, wylatywałem za drzwi, nie mogłem się dogadać z nauczycielami – jego to wszystko nie ruszało. Nawet to, że mówiłem: „Ja idę na koncert zespołu Siekiera, a dziadek mi tu wyjeżdża z Józefem Piłsudskim". I z powiedzeniami marszałka: „Przegrać bitwę i nie poddać się, to zwycięstwo, a wygrać i spocząć na laurach – to przegrana". Ja na Józefa mówiłem faszysta.

Dziadek miał dla mnie mnóstwo zrozumienia. Ja dawałem mu mniej prawa do pozostania przy własnej opinii. Nie rozumiałem, że jego życie już jakoś ukształtowało, że ma siedemdziesiąt parę lat. I że jak ten Piłsudski był dla niego idolem, kiedy miał lat 20, to teraz już nic tego nie zmieni. No, ale miałem 19 lat i myślałem, że wszystko da się zmienić.

Jednak kiedy dziadkowi ciężko było wchodzić na schody, z tyłu go podpierałem i wpychałem na górę. Totalnie się na niego nie zamknąłem i mam nadzieję, że zawsze czuł moją bliskość – to, że mimo wszelkich awantur otaczałem go dużym szacunkiem. Żałuję tylko, że nie dożył dnia, gdy znalazłem pracę w radiu. I że nie dowiedział się, że mylili się wszyscy ci, którzy myśleli, że z tej „mąki majewskiej" nie będzie chleba, że z niej będzie fircyk, który w ogóle nie da sobie rady i życia sobie nie ułoży. To, że sobie ułożyłem, to ewidentnie jego zasługa.

Miałem wiele momentów, kiedy mogłem odpaść, choć – także dzięki wierze dziadka we mnie – generalnie towarzyszyło mi przeświadczenie, że coś się jeszcze w moim życiu wydarzy, że przede mną duża zmiana. Dzięki dziadkowi nie poddałem się, nie położyłem skrzydełek po sobie i może dlatego dziś nie muszę pracować tylko dla pieniędzy w firmie, której nie znoszę. Dziadek mi pozwalał być trochę z boku.

Sporo mam też z natury mojego ojca. Ojciec był kolejną barwną postacią w rodzinie, tyle że tak się życie ułożyło, że rodzice nie byli razem. Był duszą towarzystwa.

Jak go zapamiętałeś?

Imponował mi, bo miał prawdziwe dżinsy, T-shirt, półbuty z dziurkami – „bitelsówki". Był niepokorną duszą, wyleciał z paru szkół – czego syn może chcieć więcej. A jeszcze był wysportowany, przystojny, miał bicepsy i świetnie grał w piłkę nożną. Na tle ojców z brzuszkiem wyglądał jak Jim Morrison. Był typem ojca, którym dziecko może się zachwycić. Chciałem mieć dokładnie takie dżinsy jak on, taką czapkę, taki zegarek, taki T-shirt.

Eee, może jako dziecku tylko wydawał Ci się wspaniały?

Kiedyś graliśmy razem, ja na bramce, on w obronie. I nagle bramkarz przeciwników zagapił się, zamyślił, wyglądał, jakby przysnął. Ojciec powiedział: „Zaraz go obudzimy", i z naszej połowy boiska kopnął piłkę, tak że trafił tamtego prosto w głowę! Zrobił na mnie wrażenie, jakbym dowiedział się, że mam ojca Batmana.

Dobrze się z nim czułeś?

Opowiadał mi *Potop* w odcinkach: „Dziś będzie o tym, jak Kmicic rozwalił kolubrynę", i rysował ilustracje. Rysował świetnie. O ile dziadek był malarzem naiwnym, on mógł śmiało do galerii trafić. Do dziś mam przed oczami jego Podbipiętę z wielkim mieczem.

Na wakacjach w Bukowinie kupił coca-colę, postawił na szafie. Miałem prawo do jednej dziennie. A, i pamiętam zabawę w pożar, byłem zupełnie malutki. Ustawiał na podwórku dwie cegły, kładł na nich gazetę, zapalał i mnie wołał. Krzyczał: „Pali się!", więc biegłem i siusiałem. Jeszcze długo potem w ubikacji naśladowałem syrenę: „Eoeoeo".

Do dziś to robię, gdy chcę rozśmieszyć żonę.

Nauczył mnie grać w digby, odmianę cymbergaja, w którą gra się jedenastu na jedenastu. W latach 50. grał z nim Marek Gaszyński, wtedy ojciec ze swoją drużyną był nawet na zdjęciu w „Expressie Wieczornym". Do dziś jego paczka czasem się spotyka i rozgrywają regularne mistrzostwa. Jak ojciec grał ze mną, był „Argentyną", ja miałem „Peru".

I recytował mi wierszyk: „Bikiniarze to są ludzie tacy, co chromolą dyscyplinę pracy". Handlował pocztówkami dźwiękowymi. Gdy rozwoził je po kraju, miał wypadek – wyleciał przez szybę. Nosił szew na głowie, co też mi strasznie imponowało.

A Twojej mamie imponował?

Raczej ją wkurzał. Moczył brudną piłkę tenisową w wodzie i odbijał o ścianę. Powstawała popartowa tapeta, której mama nie umiała docenić. Wściekała się.

Codziennie wieczorem biliśmy się poduszkami. Podobnie jak ja miał talent słowotwórczy. Na meczu Legia-Szombierki grał Kurzeja, a ojciec mówił: „Grają kurze jaja". Pamiętam wynik – 3:2 dla Legii.

Większość moich krewnych jakby od niechcenia, wykonując kompletnie inne zawody, miała domieszkę jakiejś komedii. Wszyscy byli nieświadomymi showmanami, ludźmi żartu i wygłupu. I w którymś pokoleniu okazało się, że nagle ktoś cały swój wachlarz rozwinął.

Na czym to Wasze rodzinne showmaństwo polegało?

Pamiętam opowieści o wujku Karolu, który, gdy chciał kogoś z domu wyprosić, ale nie chciał mu powiedzieć wprost w czasie przyjęcia: „Słuchaj, nie za bardzo mi się podobasz, chciałbym, żebyś opuścił moje mieszkanie", to dawał mu kamień...

???

Miał w przedpokoju duży kamień i dawał ten kamień gościowi, żeby go sobie potrzymał. Mówił: „Potrzymaj, ja za chwilę wrócę". Szedł do kuchni i tam siedział.

I?

No, trzymasz kamień, pana domu nie ma – ile trzymasz – pięć minut, dziesięć? Piętnaście? W końcu gość wyczuwał, że trzymanie kamienia to rodzaj czarnej polewki, odkładał ten kamień i wychodził. Wzrastałem w świecie podobnych anegdot.

No, niezwykła rodzinka, ale młodość z Twoich wspomnień to pewnie też koledzy, przyjaźnie...

Start w ogólniaku miałem dobry, bo nawet zostałem gospodarzem klasy. Mój wygląd dosyć mylił, ponieważ byłem wysoki, niebieskooki, nosiłem okulary – robiłem wrażenie odpowiedzialnego młodego człowieka. Jednak już po pierwszym półroczu, kiedy gospodarz miał cztery balony, odeszli od powierzania mi całej klasy we władanie. W zamian sam nadałem sobie funkcję kaowca klasy. Jak ktoś mnie pytał, w czym jestem dobry, odpowiadałem, że jako kaowiec jestem w porząsiu.

To znaczy?

Byłem dobry w organizowaniu życia w klasie. Ale nie tylko ja wykazałem się tą sprawnością.

Czesał mnie, a potem Shakirę

Warto w tym kontekście wspomnieć o Jarku Korniluku, który był moim klasowym kolegą, a teraz jest bardzo znanym fryzjerem, znanym na przykład z tego, że raz uczesał Shakirę. W naszej klasie Jarek zajmował się nieco podobną działalnością jak ja, aczkolwiek lepiej radził sobie z nauką.

Nim w jego ręce trafiła Shakira, przychodziłem do niego na darmowe czesanie, na mnie trenował. Był słynny i z tego, że bardzo dobrze i wręcz obsesyjnie rysował fryzury Kory – jej kolejne wcielenia. No, i generalnie nie było wiadomo, jaki ma kolor włosów, choć potem w dowodzie wpisali mu blond. My nie mogliśmy rozpoznać, bo zawsze był uczesany na „strike'a" i za każdym razem miał inny odcień rzucony na te włosy. Teraz jako fryzjer już zupełnie się rozbuchał. **Ale i on, i ja idziemy konsekwentnie obraną w liceum drogą. On czesał innych i teraz czesze innych, ja się wydurniałem przed klasą i teraz wydurniam się przed całą Polską.**

W szkole Jarek miał jeden niesamowity zwyczaj – podrzucał nam „kukułcze jajka". Gdy byłeś w klasie z Jarkiem Kornilukiem, mogła cię spotkać przykra przygoda. A mianowicie otwierałeś w domu teczkę, żeby się uczyć... mnie to akurat nie groziło, bo następnego ranka szedłem do szkoły z tornistrem, który był nienaruszony. Natomiast osoba porządna, która ewentualnie chciałaby sięgnąć do podręczników i czegoś się tam nauczyć, mogła otworzyć swój tornister i w środku znaleźć eksponat z sali biologicznej, powiedzmy przekrój wnętrzności szczura. A jeśli pod ręką nie było przekroju wnętrzności szczura, Jarek podrzucał kaktusa czy drzewko szczęścia.

Proszę sobie wyobrazić, przed jakim zadaniem stawiał – mnie tam pal sześć, ale – jakiegoś kujona klasowego albo delikatną dziewczynę, która musiała następnego dnia z tym przekrojem kałamarnicy dojść do szkoły, donieść to, postawić na półkę. Mogła przecież zostać posądzona o to, że ukradła przekrój kałamarnicy. Oczywiście, mogła się tłumaczyć, że chciała sobie w domu powtórzyć, gdzie kałamarnica ma trzustkę, a gdzie żołądek.

Winowajcę tych podrzuceń wytypowano na zasadzie, że to pasowało jedynie do Jarka. Dla mnie, też branego pod uwagę, zamachy na własność były czymś nie do wyobrażenia. Myślałbym, że może te eksponaty nie wrócą – drzewko szczęścia gdzieś zostanie. Jarek troszeczkę był tu przestępcą.

On nie tylko czesał i podrzucał, ale jako fascynat muzyki robił też teledyski. Widział coś w programie Krzysztofa Szewczyka i potem sam organizował teledyski w klasie – tuż przed wejściem profesora. Rzucał rozkazy: „Majewski robi chórki, Jojdziałło (była taka Renata Jojdziałło) – śpiewa, Marcin Gawron – na gitarze!". Jarek dyrygował, ktoś obsadzał perkusję. Jarek nieźle śpiewał, odwzorowywaliśmy więc wszystkie modne kapele: Eurythmics, Spandau Ballet, Kajagoogoo (tu Jarek pasował fryzurami). Kolejnym plusem Jarka w tej działalności było to, że znał angielski i tłumaczył teksty. Nawet chyba potem trafił na anglistykę i skończył ją z dobrym wynikiem.

***

Ach, byliście, jak pewnie powiedziałby dziadek, psotnikami.

Wkręcaliśmy nauczycieli w nietypowe historie – nie dziwię się, że część tego elementu nie zdała. Wspomnę tylko „kradzież teczek". Żeby zdezorganizować lekcję i ukraść czas na pytanie, w trakcie przerwy wyrzucaliśmy wszystkie teczki za okno. Leżały w ogródku od strony Banacha, nic im nie groziło, zresztą pewnie nikt by specjalnie

nie rozpaczał. W każdym razie klasa była wyczyszczona.

Profesor robił nam zbiórkę. To był służbista, kiedyś uczył przysposobienia obronnego, więc lubił robić zbiórki przed wejściem do klasy. Na gwizdek się niemal wchodziło.

Pod jego światłym przywództwem wchodziliśmy do klasy i oczywiście konsternacja, ktoś krzyczał: „Jezu, ukradli teczki!".

Zaczynały się poszukiwania. Potem profesor wyglądał przez okno:

„Przecież wasze teczki leżą tam – na trawie".

„Boże, ktoś nam wyrzucił, klasa b nie chce, żebyśmy mieli dobre wyniki".

Z kolei większą część życia na przerwach spędzaliśmy, grając w piłkę. Mieliśmy piłkę ze szkolnej gąbki owiniętej taśmą izolacyjną. Graliśmy na korytarzach. Wyniesione ławki to były brameczki. Nasze mecze nigdy się nie kończyły. Zawsze trzeba było je kontynuować na następnej przerwie, więc wszystkie miały własne skomplikowane historie.

Teczki za okno. I Ty, harcerz, tak się zabawiałeś?

W harcerstwie nawet jeszcze lepiej. Byłem w 16. Warszawskiej Drużynie Harcerzy imienia Zawiszy Czarnego, drużynie z supertradycjami. Jednej z najstarszych w Polsce. Należało do niej wielu fajnych ludzi przed wojną, w konspiracji dużo działało, w powstaniu. **Nigdy nie zgodzę się, jeśli ktoś mówi, że harcerstwo to nuda i dorośli faceci biegający w krótkich spodniach. Dla mnie to była przygoda i fajni znajomi.**

Mieliśmy na przykład niesamowity obóz w 1982 roku. Środek stanu wojennego, a myśmy wpadli na pomysł, żeby zrobić obóz swoich marzeń. Stwierdziliśmy, że zbudujemy go na jeziorze! I w trzy tygodnie postawiliśmy obóz na palach. Przy pomocy kafara wbijaliśmy w dno wielkie bale. Pamiętam, że strasznie lało. Na tym platforma, a na niej trzy chatki z mat z trzciny. Cięliśmy te trzciny po drugiej stronie jeziora i spływaliśmy na budowę na czymś w rodzaju trzcinowych barek. W chatkach mieliśmy bujane prycze. Było nas tam dziesięciu. Mieliśmy mały plac apelowy, na nim była blacha, na której paliliśmy ognisko. Do tego wszystkiego most zwodzony. Mieszkaliśmy tak trzy tygodnie.

Potem leśniczy poprosił nas, żebyśmy to zostawili. Przez parę lat ludzie przyjeżdżali do naszego obozu, robili sobie zdjęcia. Zresztą robili je już wtedy, gdy my tam mieszkaliśmy.

Nawet dziadek namalował nasz obóz. Na jego obrazie o świcie na brzegu po jednej stronie stoi harcerz i gra na trąbce, a po drugiej z lasu dyskretnie wyłania się husarz na koniu. Dziadek wymyślił wizję à la Malczewski. Mam ten obraz do dziś, co prawda w piwnicy. Mierzy ze dwa metry, długo zdobił izbę harcerską „Szesnastki".

Kto przeżył coś takiego? Miałem wtedy 15 lat, zdałem do liceum.

Wokół dziadostwo i gówienna atmosfera stanu wojennego. My postanowiliśmy, że sami pobawimy się tak, żeby było nam fajnie.

Czemu dziś bolą mnie korzonki

Przez całe liceum co tydzień z drużyną wyjeżdżaliśmy na biwaki. Piątek, sobota, niedziela w Puszczy Bolimowskiej pod Warszawą. W kwietniu kąpaliśmy się w rzece. Gorce? Proszę bardzo. Obozy wędrowne, kajakarskie? Proszę bardzo. Regularnie jeździliśmy w góry.

Tak się wciągnąłem, że obdarzono mnie funkcją oboźnego. Jako że bycie oboźnym gorzej mi wychodziło, bo musiałem dbać o porządek, a z tym mam problem, mój przyjaciel Jacek Kajak, który był wtedy ko-

Jedna z większych przygód – obóz na palach (rok 1982).

mendantem obozu, stwierdził rozbrajająco, że: „raczej on będzie oboźnym, a ja zostanę komendantem”... Teraz Jacek ma firmę budowlaną, robi wszystkie remonty w naszym mieszkaniu. Bezgranicznie mu ufam, wiem, że nigdy mnie nie natnie.

Gdy jechaliśmy na biwak, woziliśmy ze sobą puszki. Jak ich nie zjedliśmy, już nie chciało nam się brać ich z powrotem, a wyrzucić szkoda, to zakopywaliśmy je na miejscu biwakowym. Siedziały sobie w ziemi i czekały, aż za tydzień znów przyjedziemy. Czasem jedliśmy je po roku. Mieliśmy dokładną mapę, gdzie jakie puszki zostały zakopane. Wtedy nie było za dużego wyboru, na ogół była to „kurica” z groszkiem – radziecka puszka – polskie pasztety, wołowina z kapustą (też była taka puszka, niezbyt smakowita), ewentualnie mielonka. W Puszczy Bolimowskiej niektóre z tych puszek powinny zachować się do tej pory.

W harcerstwie każdy z nas wymyślał sobie zadania. W moim przypadku były to zadania, których ni cholery nie byłem w stanie zrealizować. Na przykład wymarzyłem sobie, że przeskoczę na drugą stronę rzeki. To znaczy zawieszę linę między drzewami na obu brzegach i na tej linie przejadę. Chyba nawet to sfilmowaliśmy, mieliśmy kamerę Super 8. Za szóstym razem się udało, wcześniej regularnie lądowałem w rzece. W końcu jakoś się wybiłem porządnie, poleciałem i łupnąłem w drugie drzewo, objąłem je i zjechałem na brzeg.

Za punkt honoru postawiliśmy sobie, że będziemy spali w namiotach z trzydziestego któregoś roku. Były w drużynie „na stanie”, jak to się mówiło w harcerstwie. Namio-

ty bez podłogi, normalne pałatki. Stawiało się to na kijku, sześć śledzi i to wszystko. Kładliśmy, co prawda, igliwie, ale jestem przekonany, że wszelkie problemy, które miewam teraz z korzonkami, to pokłosie tamtego spania na ziemi. Czasem spaliśmy na ziemi w mokrych ciuchach, jeśli wcześniej przyszło nam do głowy w deszczu jeździć na rowerach po lesie.

***

Jak trafiłeś do tej drużyny?

Mój pobyt w „Szesnastce" zaczął się od przyjaźni ze Szwejkiem, czyli Markiem Gajdzińskim. Był studentem politechniki i wyszukano go jako mojego korepetytora z matematyki. Znaleźliśmy ogłoszenie o korepetycjach z matematyki i zjawił się właśnie Szwejk. Pulchny jegomość, przezwisko absolutnie do niego pasowało. Wtedy, pod koniec lat 80., przychodził do mnie prosto ze strajków, bo były strajki na politechnice, a on był jednym z założycieli Niezależnego Zrzeszenia Studentów. Jednocześnie działał w „Szesnastce". Był drużynowym. Próbując uczyć mnie matematyki, jednocześnie zwerbował mnie do „Szesnastki".

Pojechałem na pierwszy, drugi biwak i strasznie mi się spodobało. Pomyślałem, że jeśli tak ma wyglądać harcerstwo, że jeździmy do lasu i chodzimy po górach, to jest to coś dla mnie.

Zaczęły się nasze słynne maratony. Nie mieliśmy pieniędzy na nocleg, tylko na pociąg. Wtedy nie podróżowało się InterCity. Wsiadaliśmy w piątek wieczorem do „rzeźni", pociągu osobowego do Zakopanego, który odchodził z Warszawy. On się „rzeź-

nia" nazywał, bo odpowiednio wyglądał. Jakby ktoś wyliczył, ile tam osób jechało na metr kwadratowy, to zastraszający wynik by mu wyszedł.

Generalnie jechało się na stojąco, nawet ubikacje były zajęte: plecaki jeden na drugim, kosze, słoje, kozy... Z przedziałów często nie dawało się wyjść, więc ludzie się załatwiali na tej zasadzie, że dwóch trzymało gościa, który sikał przez okno.

My wsiadaliśmy w piątek do „rzeźni", bilet kosztował 15 złotych. Jechaliśmy do Zakopanego całą noc, byliśmy tam o ósmej rano. Cały dzień chodziliśmy po górach – Zawrat, Świnica, coś tu, coś tam. Schodziliśmy wieczorem do tej samej „rzeźni", która czekała na dworcu. Żeby załapać się na „rzeźnię", jeszcze w Warszawie, na sucho, ćwiczyliśmy „zdobywanie przedziałów". Bo jak się spóźniłeś na „rzeźnię", to nie miałeś przedziału i 12 godzin było w plecy.

Trenowaliśmy na równie zatłoczonym pociągu do Gdyni. Pociąg nadjeżdżał na Dworzec Centralny – to nie jest bezpieczny moment, więc nasz trening nie był godny pochwalenia – 50 metrów przed toczącą się lokomotywą jeden z nas skakał przez tory na drugą stronę. Z tej drugiej strony szybciej można było wskoczyć do środka, bo tam nie było tłoczących się ludzi.

Wpadaliśmy do przedziału i teraz – jak go zaznaczyć dla tych, którzy mają wrzucać rzeczy? Każdy z nas miał kartkę i klej albo po prostu spluwał na kartkę i przyklejał do okna. A ci na peronie, widząc białą kartkę na szybie, wiedzieli, że to jest „zdobyty" przedział. I tak zadanie zostało wykonane, a my byliśmy wprowadzeni. Jechaliśmy do Warszawy Wschodniej i w tym czasie zapraszaliśmy z korytarza wszystkie matki z dziećmi i starsze osoby. Zbieraliśmy je do przedziału i wychodziliśmy, czując się bardzo potrzebnymi Robin Hoodami. To były tak zwane manewry.

Twoja mama, oczywiście, nie wiedziała, na czym polega harcerstwo?

Nie miała pojęcia. Potem w ten sam sposób zajmowaliśmy przedział w Zakopanem, jechaliśmy do Warszawy i w niedzielę rano byliśmy na miejscu.

Zanim odtajałem po takim biwaku, był wtorek, który generalnie przesypiałem, marząc o tym, co działo się na biwaku. Natomiast już we środę, czwartek rozpoczynaliśmy planowanie kolejnego wypadu. I mamy kolejny powód, dla którego miałem te cztery dwóje na półrocze, z których to nie byłem w stanie wyjść.

Najwięcej miejsc w Polsce zwiedziłem w harcerstwie. Teraz ilekroć gdzieś jadę, to praktycznie znam okolicę i mniej więcej wiem, gdzie jestem. Spływy kajakowe, obo-

zy wędrowne, góry – Gorce, Beskid, Pieniny – wszystko miałem zaliczone.

Twoje rozstanie z harcerstwem…

…było dosyć burzliwe. Harcerstwo bardzo mi się podobało jako grupa przyjaciół, metoda celebrowania przyjaźni, kontaktu z przyrodą, zwiedzania Polski.

Ale w liceum poznałem punkowca, niejakiego Rafała Sławonia, który stał się moim przyjacielem. Rafał w drugiej czy trzeciej klasie liceum odkrył przede mną uroki życia undergroundowego: koncertów w Remoncie, słuchania Joy Division i Sex Pistols. Słuchałem zawsze dobrej muzyki, więc nietrudno było mnie do tego przekonać.

Wtedy zacząłem odchodzić od harcerstwa, zwłaszcza że miałem wrażenie, że od pewnego momentu za bardzo zbacza w stronę polityki. Harcerze stali się wtedy, obok sztandarów, dekoracją różnych patriotycznych uroczystości. A my mieliśmy sztandar z 1925 roku z Orłem w koronie, więc było co trzymać. Mnie to jakoś nie pasowało. Harcerstwo przestało być dla mnie organizacją działającą na rzecz fajnego spędzania czasu, krzewienia przyjaźni. Jak wkroczyła ideologia, to zaczęły się podziały: kto jest bardziej prawicowy, kto mniej, kto bardziej wierzący, kto częściej bywa w kościele. To zresztą współgrało ze zmianami, podziałami w „Solidarności".

Harcerstwo dało mi jednak wiele ewidentnie fajnych rzeczy, na przykład jestem w stanie zmierzyć szerokość i prędkość rzeki.

Jak się mierzy prędkość?

Bardzo prosto się wylicza – tu matematyka mi się przydała. Zaznaczasz odcinek, rzucasz patyk i mierzysz czas, w jakim przepłynie ten odcinek. A szerokość – wybierasz sobie drzewo na brzegu po drugiej stronie, stawiasz patyk, wyliczasz proste, kąt.

Moje harcerskie przyjaźnie przetrwały, jak już mówiłem, do dziś utrzymuję kontakt z Jackiem i ze Szwejkiem.

A sam moment rozstania?

Wiedząc, co grozi za to, że się człowiek wstawi – „Szesnastka" trzymała się tych zasad bardzo ostro – z premedytacją wypiłem lampkę alkoholu i poszedłem na bal harcerski, bardziej udając pijanego, niż nim będąc. Poczuli ode mnie „piwo", więc zostałem wykluczony.

Na jakiejś zbiórce, na której wygłoszono mi zarzuty, wydano wyrok i zostałem usunięty, co było mi na rękę. Zaczął się mój okres kontestacji, postawionych włosów, Remontu, zespołów TZN Xenna i Siekiera.

Ze sztandarem 16. Warszawskiej Drużyny Harcerzy imienia Zawiszy Czarnego.

Ten czas, kiedy punkowałem, był supergenialnym czasem towarzyskim. Z dwójką moich przyjaciół – Rafałem Sławoniem i Marcinem Tulczyńskim – stworzyliśmy niesamowity team. Team, który kontestował wszelkie szkolne działania, coraz bardziej osaczającą nas rzeczywistość i gene-

ralnie wszystko, co się wokół nas działo. Czytaliśmy manifesty anarchistyczne. Sławonia nazwaliśmy naszym „prezesem".

Czemu?

Był z nas najbardziej oczytany i bystry. No, i chyba sam się troszkę mianował.

Czego był prezesem?

Stworzyliśmy na przykład Stowarzyszenie Poszukiwaczy Biletów Wyrzuconych, ale Ważnych. Postawiliśmy sobie za punkt honoru jeżdżenie autobusami i tramwajami na odzyskanych biletach. Staliśmy na przystanku tak długo, póki nie znaleźliśmy wyrzuconych biletów, które były jeszcze dobre albo z lekka skasowane, tak że jeśli się je bardzo mocno skasowało, nie było widać wcześniejszych śladów.

Pod koniec dnia sumowaliśmy, kto za ile złotych znalazł te bilety, i ten, który zebrał największą kwotę, stawał się prezesem stowarzyszenia. Oczywiście jeździliśmy na tych biletach. Prezes Sławoń zwykle i w tym przypadku zostawał prezesem. Rafał był zresztą *spiritus movens* wszystkich naszych działań imprezowych i ciuchowych.

???

Byliśmy anarchopunkami – trudno nam było do końca się zdeklarować. Mieliśmy długie włosy, czasami je stawialiśmy, czasami nie. Generalnie należało mieć czarną marynarkę, fajny znaczek, czarne ciuchy – jak najwięcej.

To potem zaczęło ewoluować w stronę *cold wave*, czyli koloru czarnego i The Cure. Sławoń był najbardziej doinwestowany, ponieważ miał ciocię w Stanach.

Ona mu przysyłała dosyć porządne ciuchy, zawsze wyglądał z nas najlepiej. Myśmy z Tulczykiem musieli się ubierać na targach, kupować używane. Jest jedno zajebiste zdjęcie, na którym stoimy we trzech, wyglądamy jak czarne kruki: długie włosy, superkrawaty, niesamowita sprawa.

Kupowaliśmy nawet używane buty, co już było totalną masakrą. Chodziliśmy w zagrzybionych butach. Do dziś pamiętam obrazek z targu przy Banacha, gdzie pan o czerwonym nosie i generalnie z alkoholem za pan brat sprzedawał taką stertę butów. Niektóre były nie do pary. Sprzedawał je po cenach zupełnie symbolicznych, wszystkie wyglądały masakrycznie, ale miały niesamowite kształty, bo niektóre były z lat 50. i 60. Trafiały się nawet buty bikiniarskie na słoninie.

Któregoś dnia nasz pan żul, nurek, pener – jak się na niego mówiło – nieopatrznie odkrył przed nami swoją wielką tajemnicę. Zawsze zastanawiałem się, jak i dokąd te buty odnosi. Wcale ich nie odnosił. Poszedłem tam kiedyś na spacer z psem i te buty leżały, tylko przykryte gazetą. Ten pan przychodził następnego dnia, zdejmował gazetę i otwierał kram. Nikt mu tych butów nie kradł. Za dnia one zyskiwały ceny, w nocy każdy mógł przyjść i je sobie wziąć. Jedne od niego kupiłem, co skończyło się natychmiastową wizytą u dermatologa, wymianą wkładek i tym podobne. Moja mama się przeraziła.

Buty miały niesamowity kształt. Co prawda, natychmiast pękły, bo były chyba jeszcze sprzed wojny – ale jak wyglądały! Piękne, z cholewami, nawet się nieźle w nich prezentowałem. Co się działo w środku, wolę nie opisywać.

A reszta Twojego stroju?

Kupowaliśmy najbardziej paździerzowe koszule flanelowe, które farbowaliśmy. Ważnym punktem był też sklep Caritasu, bo tam można było kupować księżowskie koszule ze stójką. Były cool, wyciągało się tylko koloratkę. Kiedyś nie wyciągnąłem koloratki, poszedłem na imprezę, przedstawiłem się jako „ksiądz młodzieżowych środowisk",

który pracuje z trudną młodzieżą. I podeszły do mnie dwie piękne dziewczyny, które chciały mi się wyspowiadać. Nie doprowadziłem sprawy do końca, choć mogłem tę okazję wykorzystać.

Co jeszcze zajmowało czas młodych punkoanarchistów?

Kupowaliśmy „Literaturę na Świecie". Zapoznawaliśmy się z prozą Schulza. Sławoń generalnie we wszystkim miał decydujące zdanie.

Jeżeli wychodziliśmy ze spektaklu teatralnego, przed nim się raczej nie odzywaliśmy, czekaliśmy, „co powie prezes". Jeżeli prezes powiedział, że akceptuje sztukę, mogliśmy ewentualnie się z nim zgodzić. Czasem dochodziło do buntów. Pod hasłem „pieprzyć prezesa" staraliśmy się mieć swoje zdanie.

Próbowaliśmy też zakładać zespoły. Tu miałem doświadczenie jeszcze z podstawówki, jako twórca LWWS (Leśnych Wypierdków, Wyrzutków Społeczeństwa). Twierdziłem wtedy, że był to zespół punkowy, ale ponieważ miałem 14 lat, nie do końca wiedziałem, jak się punkowcy ubierają. Gdzieś tam przeczytałem, że noszą łańcuchy. To pożyczyłem od dziadka łańcuch od kłódki i go przy sobie nosiłem.

Naprawdę niesamowite buty

Kupiłem je, gdy miałem 19 lat. Niesamowite były, dzieło sztuki! Każdy, kto kiedykolwiek był w Paryżu i interesuje się modą, wie, że jest takie magiczne nazwisko faceta, który kiedyś robił buty, a teraz to już duża firma. Mianowicie Sacha, „buty od Sachy" – hasło ze świata mody.

Wtedy nie wiedziałem, o co chodzi, choć na tych moich butach był napis Sacha. To były buty na słoninie, bikiniarskie, z jakimiś wyłogami, pętelkami, biało-brązowe. Kupiłem je od żula z targu przy Banacha. Kształt miały tak niebotyczny, że nie mogłem przejść obojętnie. Nikt by podobnych butów wtedy nie założył, nawet ja zakładałem je tylko czasem, na imprezy. Kompletnie nie doceniałem, co mam na nogach. Teraz, będąc w Paryżu, widziałem ten sklep, moja żona buty tam sobie wybrała.

Minęło wiele, wiele lat. Pracowałem już w Radiu Zet. Była jakaś impreza, chyba urodziny Andrzeja Woyciechowskiego. I na tę imprezę założyłem moje biało-brązowe buty. A był wtedy w Radiu Zet facet – skądinąd beznadziejna postać – klasyczny oszust, inteligent przewalacz.

Na przyjęciu oczywiście wszyscy patrzyli na moje buty i nagle on ścisza muzykę i mówi przy wszystkich: „Szymon, to są moje buty". A minęło pięć czy sześć lat, odkąd je kupiłem. Ja: „No, ale skąd wiesz, że to twoje?". On: „Zdejmij je i przeczytaj, jest tam napisane Sacha". Ja wiem, że tam jest taki napis, zdejmuję i mu pokazuję. On mówi: „Stary, to nie jest przypadek, takich drugich butów nie ma w Warszawie, bo ja je 10 lat temu sprowadziłem z Francji. To są buty od Sachy". Ja: „Rzeczywiście, zgadza się, no, ale co się stało?". I zaczynam mu opowiadać swoją historię, a on mi opowiada swoją.

Otóż będąc młodym żonkosiem, kupił te buty we Francji u Sachy, gdzie, jak twierdził, mieszkał. To mogło się zgadzać, bo rzeczywiście znał świetnie francuski, czym urzekł Andrzeja. Mógł też rzeczywiście je kupić, a nie zakosić, bo był totalnym modnisiem.

Wrócił do Polski, spotkał kobietę swego życia, która potem okazała się nie być kobietą jego życia. Miał dziecko, kochankę, żona się o tym dowiedziała i w wyniku awantury domowej wywaliła wszystkie jego rzeczy przez okno. Na środek ulicy. Połowę

ANARCHOPUNK
CZY CYNICZNY IRONIK?

z tych rzeczy on stracił, bo ktoś szybko podleciał i je gwizdnął. I tak te buty po tylu, tylu latach trafiły od tego Sachy do Polski, potem ja wszedłem na imprezę... te sploty wszystkie. Zostawił mi te buty, choć na początku zaczął sobie do nich rościć prawa. Ale go zgasiłem: „Stary, po sześciu latach to one właściwie nie są twoje".

W radiu ten facet narobił strasznych dymów, brał na przykład rzeczy ze sklepów na pieczątkę Radia Zet. Łączyło nas tylko jedno – nikt bez świadomości mody i zdolności do zniesienia obciachu by tych butów nie założył. I dziś, gdyby ktoś je miał na nogach, pół ulicy by się za nim oglądało.

My z Magdą też mieliśmy niejako „przy ich okazji" konflikt małżeński. Według mojej żony buty powinny leżeć w schowku. Natomiast ja bardzo chciałem je powiesić na ścianie, uważałem, że to eksponat. Magda ewidentnie nie chciała ich widzieć na ścianie. Zastanawiam się, czy moja żona nie dokonała jakiejś akcji z tymi butami, bo gdzieś mi się zawieruszyły. Może kupię je za 10 lat na targu. Albo ktoś je kupi i wejdzie na imprezę, a ja powiem, że to są moje buty. I oczywiście nie będę miał do nich żadnych praw.

Żeglarstwo z Tulczykiem

Z Marcinem przeżyłem jedną z większych przygód mojego życia, kiedy to postanowiliśmy popłynąć na Mazury. Jego rodzice mieli starą żaglówkę, tak zwaną P-siódemkę, troszeczkę mniejszą od Omegi, bez kabiny, za to z pięknym żaglem. Powiedzieli, że możemy ją wziąć na wakacje.

Problem mieliśmy tylko jeden – żaglówka była w Warszawie, a Mazury – na Mazurach. To już były czasy, gdy wszyscy, co to „bujali się" z żaglówką na Mazury, płynęli rzekami – kawałkiem Wisły, Zalewem Zegrzyńskim do Narwi, następnie Narwią do Pisy. Piękna trzy-, czterodniowa trasa, jeżeli miałeś silnik. Myśmy silnika nie mieli.

Stary sposób na pokonanie tej odległości, kultywowany w latach 50., polegał na tym, że warszawscy żeglarze chodzili na Mazury na tak zwanego burłaka. Jeden siedział w żaglówce i trzymał ster, a drugi szedł brzegiem z długą liną w garści, ciągnął łódkę. Co dwie godziny się zmieniali i tak 250 kilometrów pokonywali w półtora, najdalej w dwa tygodnie.

I my z Tulczykiem postanowiliśmy ambitnie iść na burłaka na Mazury z Warszawy. Nie przewidzieliśmy jednego. Były lata 80., już nikt nie chodził na burłaka i całe brzegi zarosły. Były tam drzewa, były krzaki. Na burłaka mogliśmy iść przez parę kilometrów Narwi i w niektórych fragmentach Pisy. W związku z tym zostało nam poddać się i wrócić albo płynąć rzeką pod prąd. Zaczęliśmy wiosłować.

System był taki: z tyłu miałem zafiksowany ster, siedziałem na tym sterze i miałem jedno wiosło. Tulczyk stał na dziobie i wielką pychówą się odpychał albo po prostu wiosłował. W łódce mieliśmy ze sobą dwa psy, duże zapasy piwa Ostrołęckiego, bagaże.

Tempo trzymaliśmy równe – kilometr, półtora kilometra na godzinę. Dziennie pokonywaliśmy od 10 do 15 kilometrów. Płynęliśmy tylko przy brzegu, bo staraliśmy się wybierać miejsca, gdzie był najmniejszy nurt. Na zakręcie przepływaliśmy na drugą stronę, żeby na przykład ściąć zakole. Bardzo często przy przepływaniu przez środek rzeka znosiła nas z powrotem.

Podróż zajęła nam trzy i pół tygodnia. Gdy już dotarliśmy, wyglądaliśmy jak para Arnoldów na chudych nóżkach. Górne partie mieliśmy rozwinięte, tak że wydawało mi się, że jak chwycę kamień, to wycisnę z niego wodę. Byliśmy spaleni słońcem, zarośnięci.

Nie dojadaliśmy, bo zapasy nam się kończyły, a przy tempie 10 kilometrów w ciągu

dnia robiliśmy przystanki w miejscach, gdzie nie było sklepów. Przyrządzaliśmy sobie kartofle ściągnięte z pola, marchewki. Miałem puszki, Tulczyk był wegetarianinem, więc mi przymdlewał. Kiedyś rano nie mógł wstać, bo organizm nie dostał swojej porcji białka.

Ja mu cały czas proponowałem mielonkę, on oczywiście nawet na nią nie spojrzał. Pamiętam, że wpadaliśmy w taki trans, że Tulczyk pewnego dnia, stojąc na dziobie i odpychając się, zasnął. Zleciał do wody razem ze swoim wiosłem. Musiałem go wybudzać pod wodą, bo on jeszcze spał, gdy nurt go porywał.

W Ostrołęce trzy dni czekaliśmy na barkę. Była jakaś barka, która miała płynąć w górę, w stronę Pisy. Umówiliśmy się z panami, którzy pracowali na tej barce, zresztą niezłymi, że się tak wyrażę, „ch...", że nas wezmą. Obiecali nam, że wezmą nas za dwa dni. Codziennie chodziliśmy do nich, mówili, że jutro wypływają, pojutrze wypływają, popojutrze wypływają. W dniu, w którym już mieli wypłynąć, czekamy, siedzimy na żaglówce, oni nas mijają. W momencie, kiedy my do nich machamy i pokazujemy hol, oni nam pokazują gest Kozakiewicza. No, generalnie niech teraz cierpią, jeśli oglądali *Mamy Cię*, jak się chłopak wybił.

Natomiast na Pisie, 100 kilometrów dalej, minął nas „łódkostop". Od czasu do czasu machaliśmy do faceta, który płynął żaglówką na silniku. Na ogół nas zlewali. Za to jak spływali ci, co wracali z Mazur, i widzieli, jak się pod górę męczymy, to niektórzy się kłaniali i zdejmowali czapki, bo wiedzieli, co to znaczy. Pytali nas, ile już w drodze, mówiliśmy: „Trzeci tydzień".

I spotkaliśmy tego szalonego motorowodniaka, który pruł wielką motorówą. Facet z długimi, rozwianymi włosami. Myśmy machnęli i on się zatrzymał.

Mówi: „Co, chłopaki?".

„Bo potrzebujemy na Mazury".

Gdyby nas wziął, bylibyśmy tam w godzinę, miał naprawdę strasznie szybki ścigacz. Stwierdził: „Dobra, OK, wejdziecie do mnie, z tyłu przytroczymy żaglówkę i jedziemy". Przyczepiliśmy ją z tyłu, weszliśmy do środka, ruszyliśmy. I nasza żaglówka znalazła się prawie na trawie, na brzegu. Taką miała amplitudę wahań, że fruwała po olchach. To on postanowił, że przytroczymy naszą łódkę z boku jego ślizgacza. Była doczepiona jak szalupa. Jak ruszył, to zanim się obejrzeliśmy, łódka nabrała wody. Wtedy powiedział: „Przepraszam, nie udało się", i zostawił nas z mokrą żaglówką. W środku wszystko pływało oprócz naszych psów, które wtedy były z nami. Suszyliśmy rzeczy dwa dni.

Pamiętam też jacht „Pijany Mistrz" z facetami, którzy nam totalnie zaimponowali, chcieliśmy za 20 lat być dokładnie tacy jak oni. Słuchali Emerson, Lake and Palmer, opowiadali nam o wschodnim stylu walki, od którego wzięła się nazwa ich łódki – wykonujesz pozornie nieskładne ruchy, ale idziesz do przodu. A na dodatek dobrze znali Bognę Sworowską, która wtedy została miss. Ta Sworowska już nam ostatecznie zaimponowała.

Kiedy dotarliśmy na Mazury, na pływanie po jeziorach zostało pięć dni. Mimo wszystko podróż tą rzeką wspominam świetnie. Uwielbiam podobne klimaty, do dziś jeżdżę na spływy kajakowe. **Gdy płynę rzeką, mam wrażenie, że oglądam film, bo za każdym zakrętem jest superwidok, coś nowego się pokazuje.**

Na następny rok kupiliśmy z Tulczykiem silnik, radziecki Wietierok, wydaliśmy majątek. Palił strasznie, co chwilę kupowaliśmy benzynę, ale na Mazury dopłynęliśmy bardzo szybko.

Warto jeszcze wspomnieć, jak silnik Wietierok wypróbowywaliśmy na balkonie. Ludzie pod nami wywiesili pranie, a my nala-

liśmy wody do wielkiej beczki, wstawiliśmy Wietierok i włączyliśmy. Jak chlusnęło wodą zmieszaną ze spalinami, jak poszło ludziom po tych praniach...

***

W 1990 roku czasy licealne były za Tobą, wchodziłeś w dorosłe życie. Rewolucję poczułeś w powietrzu? Jak dla Ciebie zaczęły się zmiany?

Jak mówiłem, byłem w złym stanie. Chyba miałem regularną depresję. Do moich perypetii z maturą, studiami i z wojskiem doszło to, że rozstałem się z Magdą, czyli z moją aktualną żoną. Były puste wakacje, nikogo ze znajomych w Warszawie. Ja, sam, łapałem doły. Siedziałem zagrzebany w domu. I wtedy Rafał Sławoń znalazł ogłoszenie o pracy w Radiu Zet. Pamiętam, że bardzo mnie wtedy podkręcił, żeby się tam zgłosić.

Co było w tym ogłoszeniu?

Że powstaje prywatna rozgłośnia radiowa! Wtedy prywatny to był zakład wtryskarski i badylarz. „Prywaciarz" kojarzyło się z przekrętem. Prywatny, to będzie u wujka Włodka w garażu i zaraz to zamkną, przyjdzie policja, wszystkich zatrzyma i będziemy siedzieć, bo zrobimy na lewo, bez licencji, plastikowe misie. Co to miało być? Radio w szklarni? Mówimy do buraka albo do marchewki zamiast do mikrofonu? Tak myślałem.

Poszedłeś z marszu?

Nie, trzeba było się przygotować. Ja naprawdę w totalnej rozsypce. Rafał mnie namówił, wzięliśmy płyty. Ja – Jaremy Stępowskiego. Pamiętam, że było napisane, żeby nagrać fragment audycji, więc włączyliśmy mikrofon u cioci Rafała i gadaliśmy: „A teeeraz, zespóóół Dead Kennedy's" – mieszanka totalna, od punk rocka po The Smiths, The Cure, Sinead O'Connor, i wreszcie włączyłem Jaremę Stępowskiego. Grzesiuka płyty też poprzynosiłem.

Słuchaliście, jak się zachowują radiowi didżeje?

Przecież nikogo takiego nie było. Prezenter to był Niedźwiecki, prezenter to był Wojciech Mann. Ładnie mówił, nie seplenił, wszystko wiedział: kiedy kto wziął do ręki gitarę. Albo mistrz świata, „boski" Kaczkowski z Trójki: kto wziął do ręki gitarę, a kto bęben, czy miał bęben, jak uderzył w bęben, czy miał krótkie spodenki, czy miał świeże majtki albo jaki wzorek na skarpetkach. No, i ciągle tłumaczyli teksty piosenek.

Może więcej nie mogli mówić?

Ale też i chcieli mówić właśnie to. Ich radio było megadostojne, akademickie. Każdy wszystko wiedział i wszyscy byli tak strasznie mądrzy. Człowiek radia to był... Poczobutt-Odlanicki i Hugo Kołłątaj. Ustanowił Konstytucję 3 maja, poleciał w kosmos, wiedział, ile jest jonów w katalizatorze, a ile embrionów w słoniu. **A ja miałem długie włosy, zachlapaną maturę i nieustabilizowany stosunek do służby wojskowej. I przez mamę byłem wychowywany, i miałem samodzielnie ufarbowane spodnie.**

Nagraliśmy kasetę, coś tam zapowiadaliśmy, zapluwaliśmy się.

Wielkie brawa dla Rafała, który mnie zaciągnął. W trakcie nagrywania tej kasety popłakałem się, bo jakoś nie miałem na nic ochoty, czułem, że nic z tego nie będzie, że pewnie wyjadę na saksy albo weźmie mnie armia.

Nie doceniałeś siebie?

Czułem, że coś tam mam pod tym sufitem, ale przez tyle lat wszyscy brali mnie za mitomana. Przyjeżdżał wujek, brat mamy, profesor, który mówił, że trzeba mnie leczyć, bo jestem mitomanem. Ciągle coś mówiłem, ciągle miałem jakieś marzenia. A on: „No wiesz, Marysiu, to, co on mówi, to jest fikcja. On mity tworzy wokół siebie. No, kim on będzie? Muzykiem nie będzie, bo nie umie grać. Co z tego, że on rysuje? No, co on fajnie robi? No, fajny jest chłopak, zobacz – fajnie wygląda, fajnie się zachowuje, fajnie opowiada, ale co – będzie kolejarzem, który fajnie opowiada? Nie będzie, bo się nie przystosuje. Nie założy munduru kolejarskiego. Pogonią go z długimi włosami".

Mama miała ze mną problem. Ma w domu coś fajnego, „coś". Ale jak to nazwać? Jakie baterie tam włożyć? Nie wiadomo, co z tym zrobić.

Mama Cię akceptowała?

Tak. I miała dużo tolerancji dla moich szaleństw. Choć jednocześnie przeżywała koszmarne kłopoty. Co chwila była wzywana do szkoły. Teraz i te inne stały nad nią i dywagowały, co ze mną będzie: „Proszę coś zrobić, bo woły będzie pasać, ursusem jeździć".

One wiedziały dobrze, te wszystkie baby, wiedziały, że tego nie będę robił. Mam wrażenie, że gdzieś tam leczyły swoje kompleksy. Teraz jestem gotów stwierdzić, że tak naprawdę marzyły, żeby mieć podobne dzieci. Zazdrościły, że ktoś jest tak kolorowy, i chciały, żeby ich synowie też byli tacy. Dlatego, żeby się nie frustrować, chciały mnie upieprzyć.

Mama ciągle mi potem powtarzała, że dziadek jako jedyny czuł we mnie siłę. Może dlatego, że był człowiekiem sprzed wojny, z czasów, gdy jeszcze był szacunek dla podobnych ludzi. On cały czas moją mamę utwierdzał, że będzie OK. Mówił jej wierszem: „A że Szymon nie jest kiep, z tej mąki będzie chleb".

Po jakichś akcjach w domu w stylu: wyszedłem, walnąłem drzwiami, nie wróciłem na noc, mama zawsze mi mówiła, że dziadek jej tłumaczył: „Słuchaj, to prawda, nie jest z nim łatwo, ale spróbujmy wykazać cierpliwość, będzie dobrze".

Strasznie się cieszę, że moja mama nie wykonała fałszywych ruchów, jak matki, które oddawały dzieci do internatu albo do wojska. Z moją wrażliwością, a miałem ją, mogę to śmiało powiedzieć – jeden sobie dopisuje mięśnie, a ja wrażliwość – więc gdybym poszedł do armii… Z inteligenckiego domu, z długimi włosami, gdyby wzięli mnie do trepów do Ełku albo do czołgów, albo do garnizonu łodzi podwodnych, to kolesie by mnie po prostu zajebali. Znałem taki scenariusz, miałem kolegów, którzy tak trafiali.

I co z nimi?

Lądowali w szpitalach. Jeden z wojska wywinął się w ten sposób, że sfingował samobójstwo. Ale tak, że naprawdę musieli go odtruwać. Wziął dawkę, która go nie zabiła, ale była na tyle duża, że odpłynął. Naczytał się o depresji, potem przez miesiąc do nikogo się nie odzywał, nie mył się. I wyszedł z wojska. Takie scenariusze wtedy były. Hołd matce, że do końca, nawet po wizycie jezuity, nie powiedziała: „Macie rację, bierzcie go, to go nauczy życia". A mama się konsultowała, bo miała ze mną problem. Miała w rodzinie różne autorytety – profesorów, docentów, którzy się zbierali nade mną jak te kruki.

Z jednego jeszcze powodu mamie nie było łatwo. Status kobiety samotnej jest specyficzny – zawsze pierwsza do upieprzenia. Były więc dwie rzeczy do urąbania: kolorowy syn i matka, która samotnie wychowuje dziecko.

Ilekroć mój ojciec, który jest silną osobą, wybrał się do mnie do liceum, walnął pięścią

na miejsc

w stół i powiedział: „Odpieprzcie się od niego", na jakiś czas miałem spokój. Kiedy tylko szła matka, wszystkie te strasznie zakompleksione baby miały się na kim wyżywać.

Teraz, dzięki wszystkim Kaziom Szczukom i innym paniom feministkom, na których się psy wiesza, status kobiety samotnie wychowującej dziecko się zmienia. Trochę społeczeństwo dojrzało, parę filmów obejrzeliśmy.

Niestety, wtedy samotna matka była wyrzutem sumienia dla państwa. Kimś nieudacznym, gorszym. Kimś, kogo właściwie nie powinno być. Tak jak nie było samobójstw w wojsku. Wszystkie kartoteki tuszowano, ale miałem w rodzinie kogoś z dostępem do tego. O tym, że było kilkadziesiąt samobójstw żołnierzy rocznie, się nie mówiło, bo w socjalistycznej armii „każdy chciał służyć".

Nawracał mnie jezuita

Gdy ekstremalnie spotęgowały się obawy, że sobie w życiu nie poradzę, zorganizowano sympozjum rodzinne. Moja mama wywodzi się z rodziny doktorsko-profesorskiej: akademia medyczna, politechnika i te sprawy. Długo wychowywała mnie sama, więc się spotkała taka komisja śledcza do spraw Szymona, żeby radzić, co ze mną będzie.

Rodzina oczekiwała, że scenariusz będzie najgorszy: narkomania, młodzieńcza prostytucja...

Gdy moja mama uznała, że na domiar złego oddalam się od Kościoła, został wezwany jezuita. Od lat był przyjacielem rodziny, a kto oglądał *Misję*, wie, z czym się jezuici kojarzą. Mnie – z ogniem i mieczem. Ten też przez 15 lat był w Ekwadorze. I miał wobec nas dług, bo zanim został jezuitą, moja rodzina go ukrywała, chyba po tym, jak za PRL-u znaleziono u niego broń. Był wtedy studentem politechniki, studiował z moim wujkiem. Siedział za tę broń w więzieniu. Wyszedł tak radykalny, że od razu wstąpił do zakonu. Gdy zawitał u nas na Ochocie, jakby się otworzyły wrota niebios. Wszedł oto człowiek surowej urody, oczy badawcze, wszystko miał kanciaste, wyglądał jak karzący piorun Zeusa. Zadrżałem.

Mama, jak zawsze w momentach stresujących, okopała się na linii kuchni. Kobiety poza domem, gdy coś się dzieje, łapią za torebki, a w domu – za patelnie i krajalnice.

My siedliśmy naprzeciwko siebie. Dla mnie „moja skórzana kurtka była moim wyrazem", jak w słynnym cytacie z Nicolasa Cage'a. On zaczął opowiadać, co będzie z moim życiem, a ja mu na to wykładałem o Kropotkinie i anarchizmie.

On dopytywał, co ze mną, bo „jest zatroskany, jako przyjaciel rodziny chce mi podać dłoń". Jestem zbłąkaną owieczką, ale on w każdej chwili może mnie przygarnąć do stadka i wyczesać, a nawet ogolić. A moja wełna służyć będzie dobrej sprawie, a nie złym mocom.

Pytał, czy wiem, jakie wartości przyświecały moim pradziadom, dziadom. Przytoczył przykład dziadka. Pytał, czy wiadomo mi coś o cudzie nad Wisłą? Mnie było doskonale wiadomo. Rzucałem datami, ale miałem swoje pomysły na życie. Opowiadałem o tym, że państwo nie jest ważne, a wszelki porządek należy burzyć. Głowę miałem napchaną teoriami, które wymyśliliśmy z Rafałem Sławoniem. My wtedy pisaliśmy własne manifesty anarchistyczne, ogłosiliśmy się Ugrupowaniem Buntersów. Uznawaliśmy, że cechuje nas postawa „cyroniczna" – cyniczno-ironiczna. Byliśmy zatem cyronikami.

Po dwóch godzinach jezuita nie wytrzymał, zrozumiał, że przegrał. Wyleciał od nas z domu jak z procy i więcej się nie pokazał. Szanowałem go, był ciekawą postacią, ale skrajną. Pociesza mnie to, że jezuici za patrona mają Ignacego Loyolę, który, jak wiadomo, do 35. roku życia święty nie był. W czasie tej rozmowy miałem 18-19 lat. Było więc nieco czasu, by przejść na jasną stronę mocy. Może nawet mógłbym stworzyć mój własny zakon cyroników bosych.

* * *

Rzeczywiście w podłym nastroju szedłeś do tego radia.

Wiedziałem, że jesteśmy bez szans. Rafał, który zdał na wiedzę o teatrze, studiował tam, wojsko się o niego nie upomniało, bo miał kategorię E, dał mi wtedy siłę.

No, to posłaliśmy naszą kasetę. I nagle... zadzwonił i przedstawił się nam niejaki pan Janusz Weiss, powiedział, że nas zaprasza na rozmowę i że się spotkamy w Hotelu Europejskim o godzinie trzynastej. Myśmy po prostu nie mogli uwierzyć, że ktoś się nami zainteresował. Naszym bełkotem na kasetach!

Poszliśmy na to spotkanie i oto siadł naprzeciwko nas facet, o którym wiedzieliśmy, że był w Salonie Niezależnych. Czułem się mocno tym podniecony, ale nadal nie wierzyłem w siebie i w to, że cokolwiek może się udać.

Naradzaliście się z Rafałem przed tym spotkaniem?

Myśmy całą strategię ustalili. Od razu zdecydowaliśmy, że Rafał mówi – pamiętam jak dziś. Rafał, nasz „prezes", to był taki... pewniaczek. Zawsze mu się udawało. On nie czytał lektury i potrafił o niej godzinę opowiadać.

I on, jak zawsze, zdecydował: „Ja mówię, ty siedzisz obok i potakujesz, potwierdzasz". I dokładnie tak się stało.

Czyli Wasza kaseta wykosiła iluś konkurentów?

Nie. Teraz, w dobie wyścigu szczurów i gospodarki wolnorynkowej wyławiającej jednego kandydata z 300, nikt w to nie uwierzy, ale wtedy z Jasiem Weissem spotkało się dokładnie 13 czy 14 osób z 16 chętnych. I wszystkie te osoby stworzyły trzon „Zetki".

Po prostu były wakacje. Ci, co mieli pomysły na życie, byli już za granicą, może część szykowała się do studiowania. Nikt poważny nie uwierzył w to małe ogłoszenie, bo takich ogłoszeń po prostu nie było. Wtedy były ogłoszenia, że: „Budka warzywna poszukuje sprzedawczyni" i „Używane opony sprzedam", a nie, że: „Prywatne radio poszukuje pracowników". Dopiero potem Radio Zet reklamowało się w „Gazecie Wyborczej" na całej szpalcie, że przyjmie „head office'a", „brand managera" czy jakiegoś tam „fucking directora".

W pierwszym studiu Radia Zet przy Nowym Świecie.

Odpowiedziało więc 13, 14 osób i dwóch jakichś chorych, którym od razu powiedzieli „do widzenia". Przyszła Marzena Chełminiak, przyszedł Wojtek Jagielski. Pamiętam, spotkaliśmy się w Hybrydach, w małym studiu, gdzie był Andrzej Woyciechowski, który pytał nas: „A jaką muzykę chcielibyście grać?".

Myśmy przynieśli swoje kasety, płyty. Jeden włączył te płyty, drugi coś powiedział do mikrofonu. Andrzej: „OK, to radio jeszcze nie działa, ale zaczynamy na Nowym

Świecie, zróbmy próby, ponagrywajcie jeszcze kasety".

Przyszliśmy na ten Nowy Świat. On otworzył drzwi kluczem. Nad futryną napis: Polskie Towarzystwo Ekonomiczne, za drzwiami pomieszczenie, w którym siedzieli urzędnicy przy swoich biurkach.

Panie z herbatami i z kawami, miały stempelki i pisma też leżały.

Andrzej, pamiętam, powiedział: „Dzień dobry, witam panie serdecznie, bardzo przepraszamy, ale zgodnie z umową z waszym szefem państwa teraz przepraszamy, bo tutaj będzie radio".

A te panie: „Tak, tak, już jesteśmy spakowane, tylko dopijemy kawę i jakby panowie mogli pomóc z tymi krzesłami". I myśmy wynieśli te krzesła, Andrzej postawił konsoletę, facet z długimi włosami przyszedł, coś podpiął i mówi: „No, dobrze, możemy zaczynać". Tam też na ścianach wisieli jacyś ekonomiści à la Poczobutt. Myśmy kątem u nich zaczęli grać.

Radio Zet na początku wyglądało tak, że siedział didżej, grał sobie. Pod krzesłem wiły się trzy psy, z tyłu, na podłodze, 10 osób, w tym ze dwie chyba paliły marihuanę. Leżeli, spali, grali, gadali, a didżej mówił: „Cicho, cicho teraz, panowie, bo muszę coś powiedzieć", oni: „Dobra, a może to włączysz"... i wciskali mu płyty w łapę, on: „Moment, bo muszę coś powiedzieć – tu Radio Zet, słuchacie tego i tego". I potem siadał obok nich, może coś zapalił, psy zaczynały szczekać. Tak wyglądała „Zetka".

Jak teraz słyszysz Jennifer Lopez i didżeja, który mówi: „Jest za pięć dwunasta, odezwę się za następne pół godziny", to nikt w to nie wierzy.

W co nie wierzy?

Że to radio grało taką muzykę, jaką grało, i że taki był anturage. Że na przykład, żeby zapowiedzieć, trzeba było zamykać okno, bo u ludzi w domach było słychać muzykę z Nowego Światu albo to, że po ulicy jeździły samochody. Myśmy myśleli, że tak będzie zawsze. Każdą zmianę odczuwaliśmy boleśnie jako zmianę na gorsze. Wtedy na antenie mówiło się, co chciało, i grało muzykę, jaką się lubiło.

Warszawa szuka kota

Wpadłem do „Zetki" ze wszystkimi moimi pomysłami i... jakby ktoś nacisnął guzik, reakcja łańcuchowa zadziałała. Normalnie zaczęło dymić. Pracowałem całą dobę. Nosiłem fotele, potem pisałem reklamy, potem byłem didżejem, w nocy siedziałem i wymyślałem logo Radia Zet. Nagle okazało się, że mogę robić i to, i to, i tamto, i wszystko, co robię, się ludziom podoba. No, może Andrzej Woyciechowski był nieco sceptyczny.

Pamiętam, jak tłumaczyłem Andrzejowi, na czym ma polegać moja pierwsza audycja *Czuj mózg*. Wymyśliłem dźwiękowe rebusy na antenie Radia Zet, ludzie mieli odgadywać. Idę z tym do Andrzeja, a on był facetem polityki, konkretu, co innego go interesowało. Czuł, że coś mi pod baniakiem styka, ale w ogóle nie wiedział, co to jest. Przychodzę więc do niego, on siedzi, prawdziwy „man" – papierosy, garnitur z Francji.

Mówię: „Andrzej, słuchaj, rebusy będą dźwiękowe, na przykład tętent kopyt i bije godzina dwunasta, strzały słychać – o jaki film chodzi?".

Andrzej na to: „Słuchaj, nie pytaj mnie, o jaki film chodzi, tylko powiedz, o co ci chodzi".

Na to ja: „No wiesz, godzina dwunasta, tętent kopyt, strzały i o jaki film chodzi?".

On: „Nie mów, o jaki film chodzi, tylko po prostu powiedz mi, o co tutaj chodzi".

Ja: „Tętent kopyt, bije dwunasta i o jaki film chodzi?".

On: „No ty mi powiedz, o co tutaj chodzi".

Ja: „Chodzi o film *W samo południe*".

On: „Ty mi nie mów, o jaki film chodzi, tylko mi powiedz, o co chodzi w tej audycji".

Godzinę mu tłumaczyłem moje rebusy, on w końcu: „Zrób i mi puścisz". Zrobiłem, oczywiście było słychać tętent kopyt i bicie zegara. On wysłuchał i zapytał: „Ale powiedz mi, o co chodzi w tej audycji".

Nawet jak to poszło na antenie, ludzie odgadli, ktoś dostał nagrodę, to Andrzej nadal nie był pewien, czy nie wpuścił wariata do radia. Agnieszka Wolfram, która potem pracowała w Magazynie „Gazety Wyborczej", a teraz w fundacji Itaka, zdradziła mi, że Woyciechowski do niej przyszedł i powiedział: „Słuchaj, ty kojarzysz tego chłopaka? Bo on taką audycję teraz robi. Ty weź tego posłuchaj i powiedz, o co mu chodzi". I Agnieszka odpowiedziała: „Wiesz, Andrzej, nie wiem za bardzo, ale młodzi ludzie to chyba wiedzą, o co chodzi". Andrzej: „Na pewno wiedzą? To niech będzie w tę niedzielę".

On potem, co pewien czas, to zdejmował. Kiedyś w tle puściłem miauczenie kota, Andrzej osobiście zadzwonił, żeby mi wyłączyli mikrofony, bo ludzie dzwonią do niego, że gdzieś kot jest u nas uwięziony i męczony. Wprowadziłem w dygot pół Warszawy, wszyscy szukali kota, co się zawiesił na antenie albo na nadajniku.

* * *

W radiu wreszcie się na Tobie poznali?

Nie od razu. Andrzej chyba dopiero po pół roku dał mi czas antenowy. Późno wpadł na to, że w ogóle cokolwiek mam do powiedzenia. Na początku byłem taką zapchajdziurą.

Dlaczego?

Bo kompletnie nie umiałem opanować radiowej techniki, włączania kompaktu i jednoczesnego mówienia – jąkałem się, myliłem słowa. Jak chciałem coś powiedzieć po dżinglu, to na ogół robiłem odwrotnie i wyłączałem mikrofon. Jedyne, co wiedziałem, to jak siedzieć przed tym mikrofonem. Wszystko inne mi się sypało.

To co, w ogóle się nie nadawałeś? Naprawdę zrobiłeś karierę, bo nikt inny się nie zgłosił?

Ci, którzy szybko opanowali to radiowe pole i od razu sprawnie mówili, jaka to piosenka i że jest za pięć dwunasta – mówili to w pierwszym tygodniu, w drugim, trzecim i czwartym. I nagle okazywało się, że już nic poza tym nie mieli do dodania. Oprócz tego, że byli bardzo sprawni.

Kiedy dla Ciebie nadszedł przełom? Zrobili Ci egzamin z obsługi konsolety?

Mnie wstawiano w nocy. Gdy ktoś zapił albo chciał się spotkać z narzeczoną, dzwonił do mnie i nakazywał: „Szymon, przyjedź!". I w nocy coś tam sobie gadałem, a przy okazji oswoiłem się powoli ze sprzętem.

I kiedyś Andrzej Woyciechowski, wracając taksówką z imprezy o trzeciej czy czwartej nad ranem, usłyszał mnie w radiu. A mówiłem totalnie chore, odjechane i dziwne rzeczy. Pamiętam, że informowałem słuchaczy, że po Nowym Świecie chodzą krowy, które mają wytatuowane na wymionach słowa: Radio Zet.

Byłeś światowym prekursorem Cow Parade!

Jako ten Nostradamus wypatrzyłem w przyszłości te krowy. Andrzej kazał chyba taksówkarzowi wolniej jechać, bo wysłuchał połowy mojego nocnego dyżuru. Od razu rano wezwał mnie na rozmowę i powiedział: „Wiesz, słuchałem cię w nocy. I powiem szczerze, cholera, jestem zaskoczony, bo ty naprawdę fajne rzeczy mówisz. Połowy z nich oczywiście nie rozumiem, ale generalnie jest to ciekawe".

I zdecydował, że „wrzuca mnie na dzień". Zachwycony tym pierwszym moim sukcesem zacząłem mu przynosić kolejne pomysły. Na kartce... To jak z tym reżyserem od pantomimy. Miałem gorączkę z pomysłami. Rozwiązał się worek. Poczułem, że wreszcie coś ode mnie zależy. Ktoś chce mnie wysłuchać. I ten biedny prezes Radia Zet Andrzej Woyciechowski... za każdym razem przynosiłem mu po sześć, po dziewięć równoległych pomysłów. Począwszy od tego, jak ma wyglądać logo Radia, przez to, kto ma być naszym odbiorcą, po to, że może nagralibyśmy płytę. Woyciechowski strasznie cierpiał, zwierzał się komuś: „Wiesz, przychodzi ciągle ten Majewski. Coś mi opowiada, projekty snuje. Nie wiem za bardzo, jak go traktować. Jako przypadek kliniczny?".

Oczywiście miałem też pomysły na nowe audycje. Niektóre z tych audycji były źródłem zupełnie chorych rzeczy. Pamiętam, że nawet sam załatwiłem przez Zieloną Budkę, że każdy, kto odgadł rebus, dostawał tort lodowy. Ponieważ to było lato, a torty na bitej śmietanie... zanim ludzie przyszli, a przychodzili po dwóch dniach po nagrodę, to te torty były już w nieco słabym stanie.

Woyciechowski był szefem-upiorem, który was stresował swoją obecnością?

Nie. Szefem, którego się można było bać, ale też szefem, którego klasę i wiedzę się czuło. Nie podważało się tego. Był strasznie rozkochany we Francji, jak dla mnie to był kłopot. Z Francuzami mam problem od lat, jedyny facet, któremu dałem w ryja, to był Francuz.

Za co?

Nie dość, że oszukał finansowo moją żonę, to jeszcze przy pracownikach pchnął ją na ścianę. To było na etapie pierwszych polskich przemian gospodarczych. Magda miała 24 lata, była bez doświadczenia w biznesowej działalności, chodziło o agencję modelek. On tak się urządził, że według prawa to ona została w jego firmie z jego długami. Pamiętam, że zadzwoniła do mnie w szoku, zapłakana. On uciekł. No, nie do końca, zdążyłem jeszcze dojechać golfem kolegi do biura na Saską Kępę i dać mu w ryja.

Tomek wziął gaz, ja też. Kazałem Francuzowi wstać i dałem mu w papę. Zaraz potem musiałem uciekać, bo wyjął afrykańską maczetę i się na mnie zamierzył, ale mogę myśleć o sobie: Szymon Majewski herbu Zerwikaptur dopadł Francuza. Do dziś, gdy słyszę język „polsko-francuski", coś się we mnie gotuje. Sprawę długów odkręcaliśmy miesiącami. Dziś ten koleś jest szefem dużej firmy z branży finansowej.

Wracając do Andrzeja, miał totalnie abstrakcyjne, śmieszne zagrywki. Mnie kiedyś... zastrzelił. Nosił pistolet, straszak. Wszedł do mnie do studia, ja coś mówiłem, a on wyciągnął pistolet i strzelił do mnie dwa razy.

Oczywiście zrozumiałem natychmiast żart Andrzeja, zwaliłem się i leżałem. Było pełno dymu w pokoju, a on wszedł do tego desku, gdzie siedzieli dziennikarze i pisali depesze, i mówi: „Zabiłem Majewskiego". Wszyscy wpadli do pokoju. Zanim dotarło do nich, że to jest żart, mieli 30 sekund grozy – słyszeli huk, był dym, a ja leżałem.

Taki był Andrzej.

To w radiu Twoje samopoczucie zaczęło się zmieniać? Kiedy zorientowałeś się, że jednak wokół jest fajnie?

Radio i ta praca paru ludzi wyciągnęła z alkoholizmu albo z jakichś ciężkich psychologicznych problemów. Wcześniej kisili się w rzeczywistości, która nie dawała żad-

nych perspektyw. Nowe czasy okazały się prozakiem dla nieprzystosowanych.

Mnie, jak mówiłem, kuzyn obiecał, że pojedziemy do Hiszpanii, z Hiszpanii, jak nie będzie dobrze, można skoczyć do Kanady. A tam podobno jest świetna praca przy wycinaniu lasów – tak sobie planował. W mordę! Mogłem wrócić jako piękny drwal.

Albo zostać alkoholicznym drwalem z Kanady.

Niestety, chyba 80 procent scenariuszy Polaków wyjeżdżających pod koniec komuny było takich, że wstydzili się wrócić. Nie mieli czym się pochwalić. Niektóre brooklińskie scenariusze to frustracja. Ludzie, którzy w dresach stoją na chodniku, tak jak u nas na Pradze. Nawet jakby mieli drobne pieniążki na powrót, nie chcą wracać do swojej wioski, bo pół okolicy będzie się śmiać.

A Twoja mama czuła; że radio Cię zmienia?

Tak, ale mama generalnie nie wierzyła w to, co się dzieje. Twierdziła, że studia. Tylko studia. Że co ja w ogóle robię? Że oczywiście to jest fajnie, ale: „Szymku, zdaj na studia, pójdź, ten papierek"...

I jeszcze próbowałem to dzielić. Miałem dyżury w nocy od drugiej do szóstej rano, a o dziesiątej zajęcia. Pierwsze dwa wykłady przesypiałem. Wiedziałem zresztą, że jako wolny słuchacz i tak perspektywy mam średnie, bo w końcu będę musiał znowu coś zdawać.

Tym wolnym słuchaczem zostałem tylko dzięki Stefanowi Mellerowi, ministrowi spraw zagranicznych, a wtedy „tylko" ojcu Marcina, który mnie egzaminował. Poszedłem na egzamin i w ogóle nic nie wiedziałem z zakresu wiedzy o teatrze. On mówi: „Dobrze, to może powiedz, co cię interesuje, co czytasz?". Zacząłem opowiadać i on dał mi dużo punktów, co bardzo mi pomogło, bo byłem pierwszy czy drugi pod kreską.

Po pół roku radia dałem spokój z chodzeniem na zajęcia. Do tej pory moje papiery są w tej szkole.

Dopiero radio nie okazało się kolejną szkółką?

Miałem taką radochę z tego, że tam pracuję, że kompletnie nie upominałem się o pieniądze. Do dziś pamiętam moment, już po paru miesiącach mojej pracy, podeszła do mnie pani – główna księgowa, jak się okazało, i powiedziała: „Szymon, słuchaj, ty tak tu chodzisz, ale dlaczego ty w ogóle nie przychodzisz do mnie po pensję?". Na to ja: „To ja mam jakąś pensję?". A ona: „No, stary, czeka na ciebie 800 złotych (to pewnie na dzisiejsze trzy pensje). Dlaczego nie odebrałeś pensji?". A ja: „Jezu, nie wiedziałem w ogóle, że się za to dostaje pieniądze".

Zapłatą była sama radocha, że to robiłem. I co? Miałem to rzucić dla mamy? Gdy w perspektywie było cztery czy pięć lat znowu w ławce, znowu chodzenia z teczką, znowu niemożności porozumienia się z profesorami, bo już zaczynały się tego pierwsze sygnały.

Na teatrologii była pani Okopień-Sławińska, wykładowczyni chyba od teorii teatru, i oczywiście rysowałem rebus „oko-pień" – to był pień z okiem. To było narysowane na tablicy w sali wykładowej. Albo napisałem pracę, miało być o Szekspirze, a ja napisałem o Szekspirze na podstawie tego, jak przyjeżdżają i odjeżdżają autobusy nocne na Emilii Plater.

Byłem pewien, że szkoła teatralna to może będą jakieś kabarety, że będziemy robić teatr, coś tam tworzyć. A ta szkoła jest, cholera, jak wojskowa uczelnia. Od którejś do którejś ćwiczą taką minę, potem wyda-

wanie głosu, od czwartej chore zachowanie, od piątej migrenę u Dulskiej.

U progu męskiej decyzji o ostatecznym porzuceniu studiów poszedłem do mojej szefowej, Agnieszki Wolfram. A to było prywatne radio, koncesja tymczasowa, nie wiadomo było, czy dostaną stałą, czy nie. Mówię: „Agnieszka, słuchaj, jakoś tak nie chce mi się chodzić do tej szkoły. Czuję, że nic z tego nie będzie, to radio to będzie jeszcze działało?". Pytałem, bo przez pierwszy rok miałem poczucie, że zaraz ktoś przyjdzie i zamknie. Że przewały będą – no, prywatny zakład, zamykamy warsztat, bo podrabia maluchy.

Agnieszka mi odpowiedziała: „Szymon, nie mogę ci zagwarantować na sto procent, że to radio będzie, ale chyba będzie". Ja: „No, dobrze, to wiesz co – ciągle, cholera, jestem niewyspany przez tę szkołę, to będę tu już pracował na stałe. Dajcie mi etat".

I dali?

Nikt nie miał etatu z 90. roku, ja miałem – dzięki tej rozmowie. Miałem najdłuższy etat w Radiu Zet. Nawet gdzieś schowałem tę kartkę. Jasiu Weiss i wszyscy pracowali na umowy o dzieło czy coś tam, bo albo studiowali, albo gdzie indziej byli zatrudnieni. Byłem pierwszym w zespole dziennikarskim etatowcem w Radiu Zet.

Jak opowiadałem o lachociągu

Jako 23-letni chłopak, wrażliwy, choć niby były punkoanarchista, trafiłem do radia, nie znając jeszcze wszystkich wymiarów życia. I mam audycję, która się nazywała *Czuj mózg*. Polegała na tym, że emitowałem chyba pięć rebusów i za odgadnięcie każdego była nagroda książkowa. Puszczałem te rebusy, ludzie dzwonili, ja: „To świetnie, odpowiedź jest właśnie taka"(dajmy na to zlewozmywak). To były rebusy dźwiękowe, coś grało, ktoś mówił na taśmie – trzeba to było złożyć do kupy i odgadnąć.

Była niedziela, w radiu zupełnie pusto, oprócz mnie tylko ochroniarz siedzi. Po jednym z rebusów dzwoni facet.

Ja: „Dzień dobry, witam serdecznie, rozumiem, że chce pan odpowiedzieć na pytanie. Jaki to był rebus, jaka jest odpowiedź?".

I ten facet mi na antenie mówi: „No, właśnie, proszę pana, na mój gust to mi się wydaje, że to jest lachociąg".

A ja mam 23 lata i w życiu takiego słowa nie słyszałem. Po prostu nie słyszałem. Żyłem w takim środowisku, w którym lachociągów nie było. Nigdy do mnie to słowo nie dotarło. Wiedziałem, oczywiście, że są brzydkie wyrazy, ale byłem kompletnie z innej bajki.

Mówię do niego: „Mmm, mówi pan, że lachociąg, tak? Proszę pana, to nie jest prawidłowa odpowiedź. Bardzo panu dziękuję".

A on: „Ale moim zdaniem to na pewno jest lachociąg".

„No nie, nie zgadzam się z panem, to nie jest lachociąg, wiem, ponieważ te rebusy wymyśliłem, wiem, jaka jest odpowiedź, ale na pewno nie jest to lachociąg".

On się pożegnał ze mną i ja, ponieważ kompletnie nie wiedziałem, co to jest lachociąg, przez 45 minut o tym lachociągu mówiłem na antenie.

„Proszę państwa, jak państwo sobie wyobrażają, jak może wyglądać lachociąg? Czy ma cztery nóżki, czy dwie? Jaką ma paszczę? Jak chodzi? Czy jest zielony, czy czerwony? Czy może lachociąg jest podobny do królika, bo dowiedziałem się kiedyś, że jest odmiana zwierzątek, która się nazywa trąbobrzuszki. A jak są trąbobrzuszki, to może są i lachociągi, prawda? Czy lachociąg to zwierzak, który – no, nie wiem – snuje się po lesie? A może wchodzi na jakieś długie badyle, a może na bambusy?"

Przez 45 minut mówiłem o lachociągu niemal bez przerwy. Puszczałem tylko piosenki na dwie, trzy minuty i od nowa powracał motyw lachociągu. Po 45 minutach do pustego studia wpada mój zziajany znajomy didżej, który mieszkał na Ursynowie. Jak usłyszał, co wygaduję, to zadzwonił, ale telefonów spoza anteny w ogóle nie odbierałem. On na rowerze jechał z Ursynowa ratować mnie, bo doskonale znał znaczenie słowa lachociąg.

I zziajany, spocony mówi do mnie: „Szymon, kurdemol, lachociąg to jest... i tu wyjaśnił mi, jaka to jest pani i co ta pani robi. I że ona jest właśnie nazywana lachociągiem. Pytał, czy zdaję sobie sprawę, że zaraz ktoś nas wyłączy i będziemy mieli wielkie problemy.

Jestem przekonany, że po moich występach z lachociągiem połowa naszych słuchaczy, bo wtedy Radio Zet miało bardzo młodych słuchaczy, musiała stwierdzić: „Kurczę, ale ten Majewski jest cool koleś, cały czas gadał o lachociągu". Całe szczęście, że radio nie było jeszcze wtedy tak popularne w kręgach, które mogły spowodować wyłączenie sygnału albo nałożenie jakiejś kary czy nieprzyznanie tej sławetnej koncesji.

A mimo to byłem w ciężkim strachu plus byłem megazdziwiony, bo na drodze mego życia nie spotkałem się z tym słowem. Może i wyczuwałem, że to jest żart, ale raczej w kierunku tego trąbobrzuszka – trąbka, która wystaje z brzuszka... W najgorszym przypadku myślałem, że to przyrząd do rzeźbienia fujarek albo robienia leszczynowych lasek dla emerytów.

Potem już takich kolesiów, jak ten słuchacz, co odgadł, że to lachociąg, świetnie wyczuwałem.

Facet, który chciał zrobić numer, żart, miał taką rosnącą intonację. On: „Dzień dobry", ja: „Dzień dobry, kiedy Mieszko I się urodził?", on: „No właśnie, chciałeeem powieeedzieć, żeee Mieeeszko I"... i wtedy wyłączałem mikrofon, bo wiedziałem, że to będzie albo „chuj", albo co innego, bo koleś dzwoni, żeby bluznąć na antenie. Wyczuwałem ich natychmiast.

Można by powiedzieć, nosił wilka razy kilka – tyle że Tobie się to przytrafiło na samym początku kariery. Ktoś z Ciebie brutalnie zakpił?

Ja też z *poker voice'em* robiłem różne miniprowokacje. Mówiłem poważnym tonem coś, co ludzie brali bardzo serio. Kiedyś w Warszawie pojawił się problem, że ludzie bez skasowania biletów wchodzili do metra. Zaproponowałem, żeby robić bilety o zapachu szynki, stawiać psy przy bramce i one będą wyczuwały, czy bilet jest fałszywy, czy nie – w sumie totalna bzdura. I zadzwonił facet, który powiedział, że to oburzające i on żadnych biletów z zapachem szynki nosił nie będzie. Ludzie wtedy teksty w radio traktowali bardzo serio.

Jako zodiakalny Bliźniak często się nudzę i robię kosmiczne rzeczy, żeby maksymalnie sobie życie i czas umilać. Zawsze więc próbowałem robić tak, żeby mój teraźniejszy dyżur był inny niż ten poprzedni. Ale to było pole minowe.

Kiedyś rozdawałem suszarki, lokówki i znów przekonałem się, że istnieją dwa światy. Świat żartu, aluzji i perskiego oka, który niektórzy skumają, oraz świat śmiertelnej powagi, seriozoności, świat ludzi kompletnie impregnowanych na jakikolwiek humor. Tacy są w pierwszym rzędzie do zrobienia w balona, zawsze! Tacy zawsze uwierzą politykom, co im powiedzą: „Kochamy państwa, będą państwo zarabiali po 20 tysięcy od przyszłego roku". Tacy ludzie uwierzą i będą potem mówić: „Przecież miało być dobrze".

No więc robię audycję, w której rozdaję lokówki, i postanowiłem ją sobie w jakiś sposób ubarwić. Trzeba było odpowiedzieć na pytanie, żeby tę lokówkę i suszarkę dostać. Zadzwoniła pani – wyczuwałem po głosie, że jest, jak to się mówi, kumata.

I ja od razu do niej: „No, dzień dobry, ciociu".

Babka podchwytuje natychmiast – bystra istota – i mówi do mnie: „No, cześć, Szymek".

Ja, na antenie: „Ciociu, cieszę się, że ciocia zadzwoniła tak, jak mówiłem, bo będzie dziś ten konkurs z lokówkami. Ciocia ma tę lokówkę bez problemu, ja cioci powiem teraz, jaka jest odpowiedź. Ciocia zaraz mi ją powtórzy, żeby ten, który słucha – mój szef – żeby on wiedział, że ciocia dobrze odpowiedziała".

Ona: „No właśnie, jaka jest odpowiedź?".

Ja: „Kazimierz Wielki".

Ona: „No dobrze, to mówię".

Ja: „To dobra, ciociu, to teraz – jaka jest odpowiedź?".

Ona: „Kazimierz Wielki".

Ja: „Świetnie, brawo, ciociu, ma ciocia lokówkę".

I na antenie cały czas szyję: „Ciociu, tylko jest taka sprawa, ciocia wie, że to jest trochę taki przekręt, nie mogę za bardzo dać tego tak oficjalnie. Ciocia przyjedzie z wujkiem, jak dzisiaj skończę dyżur, kończę o osiemnastej, ciocia stanie z tyłu, od tyłu tutaj podjedziecie samochodem i dam wam tę lokówkę".

Ona: „Dobra, Szymon, jesteśmy umówieni".

Włączyłem muzykę, ściszyłem jej mikrofon i mówię: „Jak pani ma na imię, bardzo się cieszę, że pani taką rozgrywkę ze mną utrzymała".

Ona: „Panie Szymonie, aaaaaaaa".

Ja: „Ma pani lokówkę"...

Jeszcze nie zdążyłem wyjść ze studia, a było parędziesiąt telefonów od wściekłych ludzi z takimi opiniami: „Prowadzący nie dość, że daje lokówkę ciotce, swojej rodzinie, to jeszcze o tym bezczelnie mówi na antenie. Czy to można zrozumieć?".

W taki sposób dowiedziałem się, że istnieją ludzie, którzy, gdybym powiedział: „Proszę państwa, bardzo was proszę, jako didżej prowadzący w tym momencie audycję, proszę włączyć wodę w wannach, zatkać korki, wyjść na 10 godzin i nie wracać, broń Boże, wcześniej do domu, bo my robimy eksperyment, czy Wisła jest w stanie wytrzymać powszechne napełnianie wanien i puszczanie wody na klatkę schodową. Jak wszyscy solidarnie odkręcimy krany, to wodociągi przeprowadzą ten eksperyment". Jestem pewien, że przynajmniej 50 osób w Warszawie włączyłoby krany, zamknęło wanny i wyszło z mieszkań.

Wcześniej, przed historią z lokówką, naiwnie zakładałem, że ponieważ jestem znany z grepsu, humoru, to ludzie to będą wiedzieć... Jeszcze bardziej to się uwydatniło, kiedy skończyłem już z karierą didżeja, prowadzącego...

Czemu skończyłeś z didżejowaniem?

Bo nie mogłem już puszczać swojej muzyki, tylko musiałem grać piosenki z selektora.

Co to jest selektor?

Program komputerowy dla rozgłośni radiowych, który skrupulatnie wylicza, jaki odbiorca słucha radia o konkretnej godzinie i co mu puścić, żeby był w stu procentach zadowolony. Ten program wie, że o którejś tam żony smażą mężom jajecznicę i w trakcie tej czynności najchętniej usłyszałyby Jennifer Lopez.

Jak upowszechnił się selektor, to stwierdziłem, że z didżejką koniec i że zajmę się już tylko wygłupami, historiami z ciocią.

Zacząłem robić *Spontony* – krótkie formy satyryczne, wzorowane na języku reklam. Uznałem, że jeżeli ludzie tak świetnie rozumieją język reklam, to będę robił minutową audycję o polityce, mówiąc do ludzi językiem reklamowym, na przykład językiem z reklamy płynu Ludwik o Leszku Millerze.

To była audycja puszczana z dżinglem „reklama". W *Spontonach* występowali Sławek Pacek, Jola Wilk i Michał Zieliński, którzy teraz stanowią trzon *Rozmów w tłoku* w moim programie w TVN. Realizowali je – Waldek Iłowiecki reprezentujący „szkołę poznańską" i Grzesiek Grochowski – zwolennik „warszawskiej szkoły realizacji".

Wymyśliłem też, raz na tydzień, *Sponton* – reklamówkę fikcyjnej kolorowej gazety, która nazywała się „Wielki Świat, Kuchenny Blat".

To była czysta parodia kolorowej gazety. Zabawa z informacjami w stylu: „Szymon Majewski urodził kangura" albo „Poćwiartowała i zjadła – na herbatce u seryjnej morderczyni", albo na przykład „Superpromocja – do każdej gazety dołączamy włos Leonarda DiCaprio".

Stek naprawdę totalnych bzdur i jeszcze lepszych: „Dlaczego miałam ciążę na plecach – wyznania dziewczyny, która musiała rodzić przez kość ogonową".

Albo to, czego akurat mi nie puścili: „Enrique Iglesias jest do Julia niepodobny". Dopiero znacznie później udało mi się to wreszcie powiedzieć w *Szymon Majewski Show*.

I pewnego dnia dzwoni do Radia Zet pani, która mówi, że wprowadzamy słuchacza w błąd. Sekretarka pyta, dlaczego. „Ponieważ ja – mówi ta pani – od miesiąca chcę kupić gazetę, którą reklamujecie »Wielki Świat, Kuchenny Blat«. Byłam wszędzie, i w empikach, i w kioskach Ruchu, nigdzie tego nie ma. Robicie ludziom wodę z mózgu!"

Po takich telefonach nie masz wrażenia, że skoro ludziom tak łatwo zrobić wodę z mózgu, to właściwie robienie jej przestaje być zabawne?

Nie. Bo wyobraziłem sobie tę panią i stwierdziłem, że jej już nic nie pomoże. Ona będzie do końca życia przekonana, że została wprowadzona w błąd, a Radio Zet nieuczciwie zarabia, bo to „zły koncern francuski jest". Czysta teoria spiskowa. Nie uwierzyłaby nawet, gdybym osobiście jej powiedział, że to żart. Wtedy mogłaby stwierdzić, że widziała tę gazetę u koleżanki albo że w kiosku ktoś kupił ostatni numer tuż przed nią.

A z drugiej strony, po takich historiach miałem satysfakcję, że oto właśnie jest to, co najbardziej lubię. Mówić coś żartem, ale w taki sposób, żeby zawsze byli tacy, co uwierzą. Nieprawdopodobne!

Czemu?

Daje nieprawdopodobną moc. Januszowi Weissowi też łatwo było nabierać ludzi, wierzono w te jego historie – i on mi potwierdzał, że to daje fajne samopoczucie.

Moja najbardziej absurdalna audycja – *Złota Rączka Radia Zet*

Ta paranoja wyniknęła ze zderzenia osobowości mojej i Andrzeja Woyciechowskiego. On był pragmatycznym człowiekiem radia. Przekuł mój pierwotny pomysł w swój własny. I ten jego pomysł, choć racjonalny, okazał się czymś bardziej absurdalnym od wszystkiego, co zdołałbym kiedykolwiek wymyślić.

Dawno temu wpadłem na pomysł pierwotnego *Mamy Cię* – radiowej audycji, która miałaby polegać na wpuszczaniu ludzi w maliny. Wkręcamy w ten sposób, że wymyślamy nazwę jakiegoś nieistniejącego przedmiotu, na przykład kwanter ksynodromowy albo muflon trójdzielny. I w czasie audycji informujemy, że tu, w radiu, zepsuł się nam muflon trójdzielny i pytamy, czy ktoś wie, jak to zreperować. Zaczynają dzwonić ludzie i tłumaczyć nam na antenie, że muflon trójdzielny reperuje się w taki a taki sposób. To oszuści albo wariaci, a my robimy sobie z nich jaja.

Poszedłem z tym do Andrzeja Woyciechowskiego, mówiąc, że mam świetny pomysł na prowokację, absurdalną audycję. Andrzej na to: „Naprawdę rewelacyjny pomysł. Tylko zrobimy to tak: bierzesz eksperta, siedzisz z nim w studiu, ludzie dzwonią, że im się zepsuła pralka, i wy mówicie im, jak to zreperować".

To był zupełnie klasyczny przykład specyficznego, realnego poczucia absurdu, jakie miał Andrzej.

Po wyjściu od niego mówiłem sobie: „Cholera, właściwie nie wiem, czy to jest nadal mój pomysł, ale dostałem audycję i powinienem się cieszyć. Andrzej zadowolony jest". Wyszedłem jednak skonsternowany. I tak zrobiliśmy jeden z bardziej ab-

surdalnych programów w historii Radia Zet. Miał tylko pięć edycji. Najbardziej udany z całego programu był dżingiel. Wyszedł genialnie, nagrał go mój znajomy Paweł Betley.

Cała audycja wyglądała mniej więcej tak: na castingu znaleźliśmy eksperta, bardzo sympatycznego pana, który świetnie się na wszystkim znał. I on siedzi obok mnie, ja powadzę. W połowie pierwszej audycji miałem jeszcze przeświadczenie, że być może Woyciechowski był tu genialny, ale bardzo szybko mi minęło.

Siedzimy więc, kawa zaparzona, mówię: „Proszę państwa, jeśli ktoś z państwa ma problem, coś się w waszym mieszkaniu zepsuło, nie działa odkurzacz, pralka – dzwońcie. Oto ja, Szymon Majewski, i obok złota rączka, ekspert, pan XY – jesteśmy do waszej dyspozycji. Bardzo serdecznie zapraszamy. Adam Słodowy polskiej radiofonii poda ci rękę, czy raczej złotą rączkę".

Dzwoni pierwsza pani:

„Dzień dobry, witam serdecznie. Wie pan co, jest taka sytuacja, że nie działa pralka".

„No dobrze, mamy pierwsze pytanie, proszę zostać na antenie. I teraz właśnie zwracam się do naszego eksperta: nie działa pralka – oddaję już panią w pana ręce".

Ekspert się odzywa:

„Nie działa pralka, proszę pani, dobrze, proszę podejść do tej pralki".

„Już przy niej stoję, mąż trzyma mi słuchawkę, jestem bardzo blisko".

„Proszę pani, proszę sprawdzić, czy pralka jest włączona".

„No tak, oczywiście, jest włączona. Tutaj teraz właśnie patrzę: jest w kontakcie wtyczka, pali się lampka czerwona, powinna działać, a nie działa".

„Woda jest odkręcona – proszę sprawdzić".

„Tak, woda jest odkręcona, wszystko OK".

„I co, jak pani włącza, to nie działa?"

„Nie działa".

„Proszę pani, no dobrze, no, musi pani z nią iść do ZURT-u".

Pomyślałem: „Można założyć, że audycja spełniła swoją rolę, oto właśnie pomogliśmy tej pani. Trochę wydała na telefon, pal sześć, ale już wie, że musi iść do ZURT-u".

Następny telefon:

„Dzień dobry, witam serdecznie".

„Witamy, witamy".

„Proszę pana, suszarka nie działa".

„Ma pani teraz tę suszarkę przy sobie?"

„Tak".

„Proszę pani, proszę ją włączyć".

„No tak, włączyłam".

„Niech pani wciśnie przycisk".

„No wciskam".

„I co?"

„No w ogóle nie suszy, nic a nic nie dmucha".

„Leci z niej dym czy coś takiego?"

„Wie pan co, no nie leci".

„Dobrze, proszę pani – ile lat ma ta suszarka?".

„Osiem".

„Nie, proszę pani, to niech pani kupi nową".

Generalnie odsyłaliśmy do ZURT-u, zastanawiałem się, czy ZURT nie powinien tego sponsorować.

Potem mieliśmy jeszcze jeden paniczny telefon od pani, której zalewało mieszkanie. Kobieta w panice, krzyczała w słuchawkę. Poradziliśmy jej, żeby zadzwoniła do administracji, żeby zakręcili wodę.

Mój ekspert był świetny, gdy dzwonili ludzie i mówili:

„Proszę pana, dzwonię tu, ja już nie chcę rozmawiać z tym prowadzącym – bo próbowałem być żartobliwy – gdzie dostanę papiaki ósemki?".

„A, pójdzie pan na plac Grzybowski".

Audycja zeszła, kiedy słuchacze, którzy zorientowali się, że chyba mają do czynienia z audycją satyryczną, postanowili podkręcić śrubę. I mamy w czasie piątej emisji telefon:

„Halo, halo, ja tu dzwonię z samolotu, jestem pilotem".

„Tak, słucham, co się dzieje?"

„Śmigło nam odpada".

„Niech pan idzie do ZURT-u".

***

Jak trafiłeś do telewizji?

Moje doświadczenie wizyjne było żadne. Najpierw próbowano mnie wykorzystać do współprowadzenia programu z Marcinem Kydryńskim, ale miałem dwadzieścia parę lat, to były początki radia... jakoś się to rozmyło, bo byłem zorientowany na radio i tylko radio mi się podobało.

Wiedziałem oczywiście, że jestem przystojny i że to też, być może, jest moja ścieżka, ale radio było moją miłością, chciałem zostać mu wierny. I przez 15 lat, do chwili, gdy zwolniłem się z „Zetki", tak naprawdę byłem wierny. Czułem jednak, że ta telewizja się zbliża.

Wszystko zaczęło się od audycji w Radiu Zet, która była pomysłem Andrzeja Woyciechowskiego. Przez moment prowadził to Janusz Weiss, ale jakoś nie za bardzo chciał kontynuować. I ja tę audycję z wielką chęcią przechwyciłem jako szczerozłoty prezent od losu. Chodzi o *Transmisję z Denver*. Pomysł polegał na tym, żeby na antenie na żywca komentować to, co działo się w danym odcinku *Dynastii*. Jasiu to zrobił ze trzy razy i zrezygnował. I wtedy, w niedzielę, poszedłem do Woyciechowskiego, mówiąc: „Andrzej, ta audycja to moje marzenie, ja to mogę robić, jazda na maksa – chcę to robić". I tak zwróciłem uwagę ludzi z telewizji.

Przypomnij, na czym polegała ta audycja.

Byłem na żywca wpuszczany na antenę, gdy w fabule *Dynastii* działo się coś ważnego: Blake Carrington odnalazł kolejnego syna albo jego kolejny syn okazał się gejem, półgejem, biseksem, lateksem czy kimś tam. Ewentualnie jego żona zemdlała, upadła z konia, spadła ze schodów, zrzuciła ją „ta zła".

Był też konkurs na tak zwane gęby. Zawsze na końcu odcinka był najazd kamery na twarz, stop-klatka i napisy. Ludzie obstawiali gęby – kto dzisiaj zakończy *Dynastię*? Dzwonili do mnie, ktoś wygrywał.

Generalnie mówiłem wszystko, co chciałem. Wymyślałem też piosenki, na przykład *Carrington tango*. Nagrywaliśmy te piosenki – Jolka Wilk śpiewała. Były reklamy „Blake-szept – poszerzacz szczęk", „Aleksis alezgryz". Takie jazdy. Po tym zostałem zauważony, czy bardziej usłyszany, przez Alicję Resich-Modlińską. Zadzwoniła i niebo się rozstąpiło.

Czemu aż tak?

Bo bardzo lubiłem Alicję. Uważałem, że jak na dziewczynę ma dość nietypowe poczucie humoru. No, i kojarzyła mi się z Trójką. Powiedziała, że będzie talk-show powstawał. Ja: „Boże, talk-show, co to za słowo?". Zaproponowała mi współpracę, a ja sobie wymyśliłem tego faceta od wynalazków.

Wymyśliłeś – to znaczy?

Wpadłem na pomysł prezentowania wynalazków. Pierwszy z miejsca ich zachwycił. To był słynny „przyrząd do podciągania spodni do góry".

Wpadłem na ten pomysł w domu. Miałem gwoździki i kołowrotek, myślałem, co można z tym zrobić. Coś zbudowałem, jakiś tam drążek. Dodałem kołowrotek, na dole haczyk, no i już. Miałem luźne spodnie, podciągnąłem, żeby sprawdzić, czy to będzie działać. Zaprezentowałem to Alicji tego samego dnia. Nie pamiętam, taksówką zawiozłem czy jak. Ona na mnie spojrzała z podziwem, mówi: „No, nieźle, niezły pomysł". Ja: „To jest przyrząd do zakładania spodni i będę miał krótkie wejścia z takimi historiami".

Pokazałem ten przyrząd w telewizji i rozpętałem burzę. Wtedy po raz pierwszy zrozumiałem, że żeby zaistnieć, czasem nie trzeba gadać przez pięć godzin, tylko wystarczy zrobić coś w minutę.

???

Pierwsze pismo, które przyszło – niedługo, bo czekaliśmy jakiś tydzień – było z Naczelnej Organizacji Technicznej. Od pana, który pisał, że jest szefem NOT-u na Warszawę i on w imieniu wszystkich pracowników Naczelnej Organizacji Technicznej protestuje przeciwko kalaniu etosu polskiego wynalazcy. Że głupawy pomysł pana Szymona Majewskiego, który mieni się „szefem komitetu polskiego wynalazcy", uwłacza godności polskiego wynalazcy, że polscy wynalazcy są to ludzie, którzy dużo wynajdują, mało patentują, ale generalnie pracują latami nad jedną rzeczą. A oto jakiś palant wymyśla coś raz w tygodniu i ośmiesza tych wynalazców. Że to niby wynalazca jest głupawy, chudy, ma jakieś dziwne przedmioty, wykorzystuje drewno. Nie umie tego porządnie sklecić, słaby jest technicznie i że źle to wygląda. A, i ma za krótką koszulkę, bo pamiętam, taką miałem.

Drugi zareagował „Tygodnik Solidarność". Napisano w nim zupełnie poważny felieton, zdiagnozowano mnie, że jestem chory psychicznie. Widać nie mieli satyryka na stanie, bo uważam, że zawsze można komuś dopiec z pomysłem, a tu napisali z grubej rury, że chory psychicznie Szymon Majewski zmusza miliony telewidzów do oglądania swoich wybryków, gdy tak naprawdę nadaje się do szpitala. Następnie w „Gazecie Wyborczej" bodajże pani Teresa Bogucka napisała, że żart „okołospodniowy", który się pojawił w programie *Wieczór z Alicją*, jest przykładem na upadek mediów.

Nawet ułożono o mnie piosenkę. Zespół Pod Budą wykonał piosenkę *Tokszoł*, w której napisał: „Łoł, tok szoł, jakiś facet spodnie zdjął" – to chodziło o mnie. Generalnie w tym nieprawdopodobnie pięknym kraju nad Wisłą, gdzie teoretycznie wszyscy słyną z uśmiechu od ucha do ucha, nagle okazało się, że te trzy minuty prawie załamały społeczeństwo. Ludzie napisali hymny, Andrzej Sikorowski zmienił trasę wędrówki przez Sukiennice, a kopiec Kraka przewrócił się do góry nogami. Natomiast Teresa Bogucka przyszła do Adama i powiedziała, że nie po to oni na powielaczach pracowali po piwnicach, żeby teraz jakiś gówniarz pokazywał w telewizji spodenki w świnki.

Mam te spodenki do dziś. Są w zderzające się różowe świnki. W ciągu jednego dnia stałem się Larry Flyntem. Choć w rzeczywistości byłem tylko delikatnym Harrym Potterem – chłopcem, który ożywił miotłę i był przerażony efektem jej działania.

Miałem wtedy w sobie taką naiwność, wydawało mi się, że jeśli ktoś ma fajny, oryginalny pomysł, to wszyscy powinni zrozumieć, o co chodzi. Bardzo szybko załapałem, że się mylę. **Zauważyłem też, że w naszym kraju jest pełno ludzi, i to dziwna sprawa – nawet piszących, nawet zajmujących się mediami, którzy kompletnie nie mają poczucia humoru, wszystko biorą serio.** Jeżeli ktoś wychodzi i mówi: „Zaraz wszystkich pobiję", to oni nazajutrz piszą, że „facet zaproponował Polsce, że ją całą pobije". Okazuje się, że tak samo jak ten najprostszy widz reagują ludzie, którzy publikują w gazetach.

Potem złapałem większy dystans. Stwierdziłem, że Boże Święty, tak po prostu będzie. Jednak wtedy przez moment był to dla mnie ciężki szok. Nie spodziewałem się aż takiego frontalnego ataku „Floty Zjednoczonych Sił".

Kiedy ataki zaczęły Cię bawić?

Któregoś dnia po nagraniu *Wieczoru z Alicją* przyjeżdża facet:

„Witam pana serdecznie".

„No, witam, witam".

„Panie Szymonie, mam pytanie, bo tak oglądam te pana rzeczy w tym *Wieczorze z Alicją*, te pana występy"...

„No tak, i podoba się panu?"

„Wie pan co, właściwie tak, ale powiem panu szczerze, tak się zastanawiam, czy pan to sobie sam pisze?"

„No, po prostu robię wynalazek, buduję go i wychodzę z nim, i go pokazuję".

„Właśnie, i w tym jest problem, bo to, co pan robi, jest niezgodne z teorią humoru".

???

Ja też zapytałem: „Jak to, a jest teoria humoru?".

„Właśnie ja się tym zajmuję zawodowo, bo nie dość, że to, co pan robi, nie jest zgodne z teorią humoru, ale to nie jest nawet dowcipne".

Obruszyłem się:

„Ale sytuacja jest taka, że ja to wymyślam, robię, mówię i czasem ktoś się zaśmieje, więc wnoszę jednak, że to jest dowcipne".

„Nie, proszę pana, to nie jest dowcipne, ponieważ – panie Szymonie – nie został zastosowany w tym przypadku wzór na dowcip".

„Przepraszam pana bardzo, ale istnieje coś takiego, jak wzór na dowcip?"

„Oczywiście, proszę bardzo, oto on"...

I wyciąga księgę, na której jest napisane: Teoria humoru według kogoś, pluje na palce, szmerek w kartkach, pokazuje mi wzór na dowcip. Jeżeli sytuacja A równa się coś tam i sytuacja B równa się coś tam, i jeżeli człowiek przypisany sytuacji A..., a to wszystko jest łamane przez pięć, to wtedy jest dowcip. A jeżeli sytuacja A nie jest sytuacją A, a sytuacja B nie równa się B, to nie jest dowcip.

Popełniłem kolosalny błąd, bo powiedziałem: „Przepraszam, wie pan, ale nie ma co o tym rozmawiać, już się nie zmienię, za późno, mam 24 lata. Nie znam się na logarytmach, nie umiem tych wzorów wyprowadzać". I go spławiłem. Autentycznie żałuję, że nie wziąłem tej księgi, bo to jakaś nieprawdopodobna sprawa była.

Oczywiście zdaję też sobie sprawę, że zapewne humor poddaje się analizie. Może jest nawet jakaś katedra albo podkatedra poczucia humoru. Chyba Arystoteles coś o tym pisał, ale zaginęło.

Jacy jeszcze fachowcy udzielali Ci rad?

Byłem krytykowany, bo mówiłem niewyraźnie, bełkotliwie. Za to miłe i ciepłe słowa płynęły ze strony tych, których szanowałem, na przykład panów Manna i Materny, pana Młynarskiego. To spowodowało kolejną rzecz – że zacząłem pisać, pisać piosenki. Potem w *Słów cięciu gięciu* one były wykorzystywane. Miałem satysfakcję.

Jak reagowali tak zwani zwykli ludzie?

Dresiarstwo – natychmiastowo. Gdzieś wchodziłem i słyszałem: „O, przyprowadzili tego psychola". Polska nie była na to gotowa. Teraz ludzie otaczają mnie, w cudzysłowie, szacunkiem: „Patrz, prowadził *Mamy Cię*". Wtedy facet, co pokazywał takie rzeczy w telewizji, to był totalny abstrakt. Boże Święty, nawet kabaret Mumio miałby wtedy przerąbane ze swoimi scenkami z Plus

GSM i ze swoimi skeczami. Mogę śmiało powiedzieć, że młodym ludziom z Mumio utorowałem ścieżki.

Wtedy ludzie kompletnie nie potrafili tego wyczuć, choć już byli obeznani z humorem na przykład Manna i Materny. Ale Mann i Materna nie byli tacy energetyczni. Ja wypadałem z uprzężą, tu jakieś jajko, tu coś leci, tu coś spada. Dziwnie wyglądałem, mówiłem szybko, urywałem zdania – w ogóle sobie tego tekstu nie przygotowywałem, naprawdę. Wchodziłem, mówiłem, ciach, trach, po prostu jazda.

Teraz świat jest gotowy na Mumio, jest na to nawet snobizm, połowa nie rozumie, nie kuma czaczy, ale się snobuje. A znają Mumio tak jak Belka Jennifer Lopez.

Jak myślisz, czemu Cię od razu nie zwolnili? Alicja, która słynęła z elegancji i dyskretnego humoru, nagle miała show przerywany przez trzyminutowy występ gościa z jajkiem na głowie…

Alicja stwierdziła, że to dobry punkt programu, mimo że od szefostwa Jedynki dostała natychmiastową propozycję wypierniczania z tym moim punktem. Ponoć były protesty w telewizji, że nikt tego nie rozumie i w ogóle nie wiadomo, o co mi chodzi. Producent Maciek Strzembosz i Alicja mnie bronili, do spółki z Janem Dworakiem, który też produkował ten program. Właśnie przed nim prezentowałem na korytarzu Teatru Ateneum ten pierwszy wynalazek do podciągania spodni. Bardzo przychylnie zareagował: „To wariactwo, ale super".

Kiedyś stałem w studiu za kotarą, było gorąco. Alicja prowadziła rozmowę z księdzem Tischnerem, rozmawiali o sprawach ostatecznych, sprawach czyśćca, pokuty, sprawach odkupienia. Ja za tą kotarą cały spocony – światła grzały – w uprzęży. Akurat miałem na sobie przyrząd do odzyskiwania jajek. Wymyśliłem go, gdy demonstranci rzucali jajkami w policję.

Miałem taki przyrząd przygotowany: rzucają jajkami, policjant dostaje na klatkę, to spływa w dół, przyrząd odcedza skorupy, dodaje cukier i on sobie od razu na służbie robi kogel-mogel.

Starsze panie w okularach i z kręconymi włosami, które siedziały w pierwszych rzędach, gdy tylko wypadałem, łapały za torebki. Ale jednak z tyłu podnosiła się grupa młodych ludzi, którzy czekali na mój występ z transparentem: „Kiedy Szymon występuje, cała Polska wiwatuje". Kolejne moje przedmioty też były komentowane, wszyscy je pamiętali. To trwało rok, na tyle mi pozwolili.

Ciężko było regularnie produkować kolejne wynalazki?

Nie, znów wpadłem w szał. Dostałem pracownię. Alicja i pan Jan załatwili mi warsztat w Teatrze Ateneum. Tam przychodziłem i wymyślałem, potem szedłem do panów, którzy mieli dłuta, zakładałem fartuch i coś wierciliśmy, kręciliśmy, zbijaliśmy.

Pamiętam przyrząd do przenoszenia jamników przez jezdnię. Rączka – w środek się jamniczka przyczepiało, z tyłu miało to rejestrację, światełko i się go przenosiło przez jezdnię. Tylko był problem, że jamnik uciekał. Stwierdziliśmy natychmiast, że Animalsi się przyczepią, więc zrobiliśmy to na pluszowym jamniku.

Albo przyrząd do zakładania nogi na nogę – jeden z nielicznych, które działały. Janusz Głowacki przyszedł do programu, Alicja spytała go, co to jest, a on powiedział, że Pinokio po wypadku.

Co się potem działo z Twoimi wynalazkami?

Nie ma żadnego muzeum, nie ma po nich śladu. Gdzieś to zostało w magazynach programu *Wieczór z Alicją*, to była przybu-

dówka Teatru Ateneum. Może przemielili, w ogóle nie dbałem o takie rzeczy.

To był dla Ciebie początek lepszej passy także w wymiarze finansowym?

Dostawałem 800 złotych za jeden *Wieczór z Alicją*. Wynajęcie mieszkania kosztowało 800 złotych. Prawie że zostałem milionerem. W radiu za miesiąc pracy dostawałem 600 złotych, może 700.

I co z tymi pieniędzmi – zacząłeś palić cygara, pić starą whisky?

Nie, daj spokój, do dziś kompletnie nie mam z tym problemu. **Czasem lubię sobie kupić buty, ciuch, ale fetyszami się nie otaczam. Kompletnie nie mam tęsknot za wielkimi pieniędzmi.** Życie pewnie mnie utwardziło, więc potrafię czasem coś wynegocjować: tu poprosić, tam zażądać, ale nie, żebym się pieniędzmi napawał.

Mam w sobie pokorę, bo pamiętam czasy, kiedy moja mama... kurde, nikt mi w to nie wierzy – w stanie wojennym nie było pasty do zębów. Dziadek przyniósł kredę do tablicy, sproszkował ją i powiedział, że będziemy tym czyścić zęby. I przez tydzień czyściliśmy zęby kredą do tablicy. Teraz znajomi mi mówią: „Nie, no tak źle to nie było".

Było. Dlatego mam szacunek dla ludzi, którzy zmagają się ze swoim losem, mają ciężej niż „wesoły prowadzący".

W telewizji stałeś się człowiekiem bardzo zapracowanym?

Do wpół do drugiej siedziałem w sztabie *Wieczoru z Alicją* – wymyślałem teksty, przyrządy i tak dalej. O wpół do drugiej wsiadałem w taksówkę, jechałem do radia, miałem dyżur od drugiej do szóstej. I od godziny szóstej wieczorem do dziesiątej jechałem nagrywać *Wieczór z Alicją*. Byłem człowiekiem ciężkiej pracy, a moja żona, niczym żona górnika, siedziała w domu z dwójką dzieci, biedaczka.

Ile lat miały wtedy Twoje dzieci?

Dokładnie kiedy zaczął się *Wieczór z Alicją*, urodził nam się Antek, czyli to było 12 lat temu. Zośka już miała półtora roku.

Twoje spotkanie z TV od środka?

Na Woronicza przeżyłem szok. Kompletnie tego nie rozumiałem. Myślę, że trzeba tu powiedzieć, jak powstawały programy na zewnątrz i wewnątrz TVP. Oczywiście jedne i drugie produkowane dla telewizji publicznej. Programy na zewnątrz robiono w kulturalnej atmosferze, przez producenta, który płacił wszystkim bardzo ładnie, więc na przykład operator był uśmiechnięty, zadowolony z życia, odprężony i miał przerwę na kotleta, kiedy chciał, a może nawet na trzy kotlety.

Dla *Słów cięcia gięcia* graliśmy trzy sytuacje w ciągu dnia i była pełna higiena, w bufecie przy prywatnym studiu nawet ciasto pani piekła. Dokładnie ten sam operator, ten sam oświetleniowiec i ten sam wózkarz pracujący na miejscu, czyli na Woronicza, stawali się ludźmi z ciężkimi spojrzeniami, z opuszczonymi głowami.

Po roku robienia programu *Wieczór z Alicją* na zewnątrz, a następnie po robieniu programu *Słów cięcie gięcie*, też na zewnątrz, dostałem propozycję robienia programu wewnątrz telewizji, co stało się moim fatalnym traumatycznym przeżyciem. Ja – energiczny, liryczny młodzieniec – przyzwyczajony do tej pory do prywatnych pracodawców, tych wszystkich prywaciarzy à la Andrzej Woyciechowski czy producent Maciek Strzembosz...

...czyli?

Byłem jak hołubiony cherubinek. Miałem prawo do własnej kołyski, własnego sianka i butelki z mleczkiem tylko dla mnie. I nagle wszedłem w świat biurokracji, świat jak u Kafki, gdzie są tysiące gabinetów.

Myślałem, że będzie tak samo. Że wszyscy się ucieszą, że coś robię. Że będą zachwyceni tym, że tam jestem, pełen pomysłów, chcę coś robić i chcę to robić dla nich. Nie rozumiałem, że oni pracują wedle kompletnie innego systemu, że to jest inny świat. Że państwowa telewizja to jak urząd pocztowy. Na górze siedzi szef poczty, wydziela pieczątki i listy. Inny pan jest od klejenia językiem kopert, a inny jest do obsługi gumy arabskiej.

Zacząłem robić program z wygłupami, satyryczny. Miał być emitowany raz na miesiąc. Wychodzę na plan, nagrywamy scenkę *Morze*. Leży piasek, który ma imitować plażę. A właściwie nie leży, bo nie jest na całej powierzchni studia. Mówię: „Przepraszam bardzo, ale mam wrażenie, że ten piasek jest za krótki trochę, bo nie sięga". Jestem jedyny, który to zauważył, choć to właściwie nie moja sprawa, a reżysera.

Jakiś gość odpowiada: „Co za krótki?! Przecież tak miało być!".

„Ale momencik, przecież jest za krótki ewidentnie. Kamera pokaże podłogę".

„Oooo, to nic mi nikt nie mówił. Co za krótki? Tak nasypałem, bo powiedzieli mi, że tak ma być. Heeeeniek – weź, dosyp piasku".

I głos Heńka zza kotary:

„Odpieprz się, co będę sypał piasek. Miało tak być. Mam to gdzieś, w zapotrzebowaniu było 10 kilo piasku. Muszę iść do magazynu. Poproś Mariana".

„Marian – co z tym piaskiem?"

„Gońcie się! Nie mam teraz czasu. Idę po krzesło".

„Jakie krzesło?"

„No, tu zażyczyli sobie krzesło".

Ja mówię:

„No właśnie, miało być też krzesło".

„Za późno wiemy, że miało być krzesło! Już dwa tygodnie ten program jest robiony i co, nie zauważyliście, że krzesła nie macie? Gdzie jest zapotrzebowanie na krzesło? Idę teraz po to krzesło do drugiego tego tego... będę za dwie godziny".

Do dziś nie wiem, co on robił przez te dwie godziny. Ja w każdym razie miotam się przy tym programie: latam, aktorzy już są – nie wiem, co mam robić. Tu niedosypany piasek, tam nie ma krzesła, ktoś mówi, żebym się gonił.

W prywatnym programie jest odwrotnie: ja siedzę, a wszyscy biegają. Inne rozdzielnictwo pracy. Tu z trudem dowiaduję się, gdzie jest pani redaktorka. Pani redaktor z ramienia telewizji ma się zajmować programem. Ktoś mnie wreszcie informuje: „Panie Szymonie, one są w bufecie".

I oczywiście w bufecie są moje panie redaktorki, które zajmują się moim programem – siedzą i piją kawę. Rozmawiają o sukienkach. Dosiadam się grzecznie:

„Przepraszam bardzo, ale wiesz, tam nie jest ten piasek usypany, nie ma krzesła – tego, co rozmawialiśmy, aktorzy nie mają jeszcze kostiumów, indyk nie przyszedł"...

„Indyk?"

„Potrzebny do scenki, zaraz opowiem".

Odpowiedź jest taka: „Szymon, siadaj, jest dobrze. Weź sobie herbatę, weź sobie colę, poczekaj, bo my właśnie rozmawiamy... I co, kupiłaś tę sukienkę?".

„Tak, kupiłam. No, zobacz – zielona, fajna, jeszcze mam świetną bluzkę. Byłam ostatnio w Hofflandzie, były wspaniałe bluzki, takie białe, z przeceny, kupiłam dwie"...

„No, naprawdę? Ale mówisz, że fajne są? Pokaż, masz jedną?"

„Mam, no tutaj – zajrzyj".

I tak mniej więcej to wyglądało, pół godziny mija.

Ja: „Dziewczyny, może byśmy poszli, bo tam już aktorzy są, a ktoś ma wyjść o trzeciej"...

„Co? O trzeciej ma wyjść? A co on ma wychodzić o trzeciej. Niech zostanie do czwartej – bez przesady w końcu!"

Duże czerwone auto

Do tego samego programu napisałem piosenkę satyryczną pt. *Czerwone auto*. Miał ją wykonać Sławek Pacek w stylu country, miał być kowbojem i śpiewać, że bardzo się cieszy, że ma czerwone auto. I znowu wszystko gotowe: preria, kaktusy, lasso, Indianki, Sławek Pacek jako kowboj. Piosenka nagrana trzy tygodnie wcześniej, skomponował ją mój kolega. Mówię: „Dobra, zaczynamy nagrywać, wprowadźcie już to auto". Jest rozgrzewka, grają ***Auto*** i nagle na refrenie: „Się cieszę bardzo, bo mam czerwone duże auto", otwiera się właz i wyjeżdża mały biały fiat.

Ja: „Przepraszam bardzo, ale czy ktoś przeczytał tekst piosenki, tam wyraźnie było napisane: mam duże czerwone auto – kowboj się z tego powodu cieszy, gdzieś tam na Dzikim Zachodzie, i właśnie to jest powód jego radości, a nie to, że ma małego białego fiata".

Znowu uruchomiłem lawinę dyskusji w stylu: „Kuuurwa, mówiłem, że ma być auto, mam to gdzieś, mnie nikt nie powiedział, że czerwone, nie było złożone zapotrzebowanie". Złożone zapotrzebowanie to jest klucz, który otwierał wszystkie drzwi, jeśli chciałeś coś w TVP zrobić.

„To co robimy – piosenka jest nagrana?"

„Ja nie wiem, nie sprowadzę teraz, co, będę łapał po mieście?"

Oczywiście nie ma winnych, komisji śledczej nie powołam, bo i tak już wszyscy się rozeszli.

I co robimy? Szyjemy. Stoi mały biały fiat, Sławek śpiewa trzy zwrotki, że ma duże czerwone auto, i nagle na koniec wchodzę, i mówię: „Ale drogi kowboju, przecież to auto jest małe i białe". Sławek mi odpowiada, już poza piosenką, na gasnącej muzyce: „Bo tak bardzo chcę mieć duże czerwone, że sobie o nim na razie śpiewam".

Indyk

Kiedyś znowu dostaliśmy panią reżyser, o której ktoś z szefostwa Dwójki powiedział: „To reżyserka w twoim stylu. Zobaczysz, Szymon, ty jesteś taki zwariowany, poplątany, właśnie mam kogoś takiego – świetnie się zrozumiecie". To nie była prawda, ponieważ jakoś się nie rozumieliśmy. Generalnie program był dowcipny, były wygłupy, a pani okazała się osobą raczej refleksyjną, pociągało ją co innego niż mnie i za każdym razem mówiła: „To nie jest śmieszne". Odpowiadałem, że jeżeli wymyślam program, to choć zdaję sobie sprawę, że może nie rozśmieszę wszystkich, jednak jestem wewnętrznie przekonany, że robię rzeczy śmieszne. Tłumaczyłem jej cierpliwie: „Jeżeli to jest program Szymona Majewskiego, to Szymon Majewski zaświadcza wszem i wobec, że to jest śmieszne".

Podam przykład. Wtedy w samochodach zrobiły się bardzo modne te pikające alarmy, które odzywają się, gdy właściciel pilotem otwiera centralny zamek. Wymyśliłem sobie scenkę, że jest facet, który ma straszne kompleksy, bo nie stać go na centralny zamek, więc w domu tresuje indyka. Indyk siedzi w samochodzie i gdy facet wyciąga rękę, indyk ma zrobić „guuugu" z tego samochodu, co oznacza, że otworzył się centralny zamek i wyłączył alarm.

Pani reżyser powiedziała, że to nie jest śmieszne, choć wszyscy się śmiali. Tłumaczyłem: „Wiesz, bardzo mi zależy, zróbmy to", przeforsowałem. Został sprowadzony indyk z właścicielem. Facet przyjechał z jakiejś dalekiej wsi, indyka miał w worku. Siedział cały dzień z tym indykiem, czekając na nakręcenie jednej scenki. Miało dojść do sytuacji kompromitacji osiedlowej, bo kierowca nie

domyka drzwi i na oczach całego osiedla indyk wychodzi z samochodu, drepcząc za nim.

Pan siedział, czekał, indyk gulgał w worku, nie wiem, jak w ogóle przetrwał całą tę eskapadę do telewizji. I pani reżyser wszelkimi swoimi działaniami doprowadziła do tego, że indyk nie został użyty. Najpierw scenkę zrzucono na sam koniec dnia, a potem – oczywiście – nie doszło do nagrania tej sytuacji. Bierny opór.

Indyk tylko przejechał się do Warszawy, nawet nie zobaczył cudownego gmachu telewizji, bo nie wychylił łba z worka. I powrócił do swojej wioski.

* * *

Trudno uwierzyć, że opór materii jest aż taki.

Kiedyś w czasie nagrania na planie rozległ się głos pana realizatora, którego nie widziałem, nie miałem pojęcia, jak się nazywa. W połowie scenki, w ferworze akcji, słyszymy z góry: „Panowie, kurwa, miejcie trochę pokory. Przecież to jest beznadziejne, co robicie".

Czyli tam rządził personel techniczny?

Kompletnie tego nie rozumiałem, miałem harcerskie podejście, że jesteśmy razem w jednym zastępie i wszyscy powinniśmy mieć ten sam zapał. To była moja totalna dziecinność. Byłem niedojrzałym szczylem, któremu się wydawało, że jeżeli on się cieszy i ma zabawę w nagrywaniu czegoś, to wszyscy powinni mieć dokładnie taką samą zabawę. To jest gówno prawda. U nas, jak ktoś się angażuje, innych to martwi. Nie wiem, jak jest w publicznej teraz, ale mam nadzieję, że coś się zmieniło.

Może się boją, że sami też będą musieli tak pracować?

Ach, świat byłby cudowny, gdybyśmy widzieli zadowolonych, uśmiechniętych taksówkarzy... Cały czas twierdziłem, że taki zapał może się przełożyć, jeśli jesteś uśmiechniętym taksówkarzem albo wesołym aptekarzem, to ludzie częściej będą chcieli cię odwiedzać.

Ale Polacy w charakter mają wpisaną depresję. Nawet w polityce nie widać uśmiechu, choć politycy muszą przecież zjednywać wyborców. Tymczasem George W. Bush, nawet gdy mówi o sytuacji w Iraku, ma na twarzy coś na kształt uśmiechu. Jego sprytni doradcy wyliczyli, że generalnie uśmiechanie się nie przeszkadza.

Po telewizji publicznej miałeś kilka lat przerwy, pracowałeś dla radia. Jak zostałeś gwiazdą TVN?

TVN dreptał koło mnie jakiś czas. Czułem to ciśnienie. No, ale *Jestem, jaki jestem* kompletnie mi nie pasowało.

Naprawdę? Oddałeś pole Hubertowi Urbańskiemu?

Nie było mi po drodze z Michałem Wiśniewskim, na naszym przykładzie to prędzej można by *Dwa światy* zrobić.

Nie zmieszczą się dwie gwiazdy w jednym programie?

Uznałem, że wolę lansować siebie niż Wiśniewskiego. I powiedziałem Edwardowi Miszczakowi, że jeśli chodzi o Michała, to doceniam jego zmysł, ale tylko biznesowy. Jest jednoosobowym przedsiębiorstwem, które daje pracę wielu ludziom.

Nie wierzysz mu?

Nie wątpię, że Michał sprzedaje swoje realne emocje, ale zarazem świetnie wie, w którym momencie się rozpłakać. Dla mnie idiotyzmem było robienie programu, jeśli totalnie nie zgadzam się i nie utożsamiam z gwiazdą numer jeden. I co, od drugiej minuty mam mu mówić, że jego program jest

- Lepp-Air !

bez sensu? To, co było między Hubertem a nim, to nic w stosunku do tego, co byłoby między nami. Jesteśmy kompletnie z innej bajki.

Powiedzenie: „Jestem, jaki jestem", długo funkcjonowało w naszym życiu małżeńskim. Gdy pytałem moją żonę, dlaczego coś zrobiła, Magda odpowiadała: „Jestem, jaka jestem". Ja to samo, gdy ona pytała, czemu nie wyniosłem śmieci.

To świetne wytłumaczenie. Myślę, że w sądzie seryjny morderca może powiedzieć: „Jestem, jaki jestem".

Jak się teraz czujesz, gdy sam zostałeś megagwiazdą?

Miałem już tego próbkę przy *Wieczorze z Alicją*. To był przejaw niespotykanego w tamtych czasach w mediach rozmachu i komercji. Na wakacjach tworzyło się ciśnienie wokół mojego grajdoła, parawan falował, faceci koniecznie chcieli zobaczyć, jak moja żona wygląda topless.

Ludzie reagują identycznie na wszystkie znane osoby?

Nie. Największe problemy ze strony fanów mają ci, którzy sprzedają swoje emocje serio. Czyli ktoś śpiewa piosenkę: „Kocham cię, bo cię strasznie kocham, bo cię kochałem i dla ciebie się zabiję, i cię pokocham jeszcze bardziej, a jak nie, to sobie utnę rękę". Dziewczyna z małej miejscowości wychodzi do ogródka ze łzami w oczach, bo ona by chciała, żeby chłopak mówił do niej: „Bo cię kocham", a ten jej chłopak tylko na browary z kolegami chodzi.

Jeśli ludzie na serio sprzedają taką telenowelę, to są kochani przez tłum. **A ci, którzy mają do czynienia z żartem, ironią – budują dystans. Widzowie się ich boją, trochę wstydzą, bo wiadomo, że to „prześmiewcy są".** Myślą: „Podejdę, powiem coś na serio, a on odpali żartem i pójdzie mi w pięty". Takich jak ja zawsze trochę się omija i w świecie gwiazd funkcjonują spokojniej. Mnie raczej ludzie mijają, po 10 metrach może ktoś się obróci, zrobi jakieś znaki i szybko do tramwaju ucieknie.

Nie boisz się, że po 10 latach wielkich telewizyjnych sukcesów trafisz do reklamy proszku do prania?

Fajna reklama za jakiś czas? Czemu nie. Czy nie boję się „utylizacji gwiazdy"? Tego, że odwróci się karta i będę musiał złowić cokolwiek? No, może się coś takiego zdarzyć, ale mam nadzieję, że pomoże mi moja wszechstronność. Dotąd dobrze mi szło i radio, i pisanie felietonów, jestem w stanie – w razie czego – zająć się bardziej konferansjerką, która sprawiała mi wiele radości.

Proszek do prania grozi estradowcom, którzy niczym kwoki próbują zagarnąć pod siebie jak najwięcej „jajek". Nie mam przymusu zarabiania wielkich pieniędzy. Uważam, że jeśli nagle kupujesz samochody, domy, to masz problem, bo w pewnym momencie musisz to wszystko utrzymać. Założyłem sobie życie skromniejsze, nie mam tysiącmetrowego domu w Konstancinie, 15 kredytów...

A ile ich masz?

Jeden, jak wszyscy w tym kraju. Nie prowadzę też przedsiębiorstwa estradowo-promocyjnego niczym Kayah. Mam założenie, żeby wrócić do domu, pójść z psem na spacer, i nie chcę, by wtedy goniły mnie telefony współpracowników i bankowców.

Zresztą przez osiem lat po *Wieczorze z Alicją* i *Słów cięciu gięciu* w ogóle nic nie robiłem w telewizji. No, może *Szymon mówi show* w Canal Plus, który oglądało bardzo mało ludzi. Świetnie mi się pracowało w radiu. Miałem zabawę, jakieś pieniądze, autorskie programy, mogłem mówić, co chciałem. A w telewizyjnych propozycjach przebierałem.

???

Odrzuciłem prowadzenie *Idola*, *Jestem, jaki jestem*, wiele teleturniejów. Cały czas czekałem. Telewizja ma taką siłę kreacji, że teraz wielu mnie – gościa pod czterdziestkę – pyta: „A pan to skąd?". A ja mogę powiedzieć: „Boże, ja byłem. 15 lat robiłem to i to". Telewizja to taki meteor, że jak spadnie na ziemię, robi się dwukilometrowy krater – wszyscy zauważą.

Cieszysz się, że to Cię spotkało teraz, a nie w wieku 20 lat?

Cieszę się, że to przyszło w momencie, gdy już wiem, że jestem w stanie żyć, gdy tego nie ma. Wiadomo, że mam gorzkie chwile, gdy dowiaduję się, że kolejny projekt nie wypalił. Oczywiście boję się, że ludzie nie zaakceptują mnie w kolejnych rzeczach. I oczywiście rozmyślam, na ile ludzie oglądają program, a na ile mnie? **Najbardziej jednak boję się braku pomysłów.**

Lubisz wymyślać?

Nawet *Mamy Cię*, które jest formatem, prowadziłem autorsko, mogłem coś dopisać, wrzucać żarty, które chciałem. Ubarwiałem to sobą i nie czułem obciachu z powodu tego, co robię. Nie jestem człowiekiem, który nie ma nic do zaproponowania i jest taki, jak kolejny telewizyjny format, w który go włożą. Tacy dziś prowadzą *Tańczące kwadraty*, jutro *Wariujące liczby* i są, jakich ich napisali scenarzyści z Holandii, operatorzy z Kanady i charakteryzatorzy z Bułgarii. A między programami to w ogóle nie istnieją.

Miałeś problem z tym, że *Mamy Cię* to był program komercyjny?

Nie lubię „wypasionej" komercji w stylu programu *Ciao, Darwin*. Uważam, że można się bawić, może być wygłup, nawet erotyczny żart, ale zawsze można go tak podać, że nie będzie wstydu. W *Mamy Cię* zupełnie się nie wstydziłem. Ludzie też chyba nie mieli poczucia wstydu, oglądając w nim mnie. Ale mój wymarzony program to po prostu każdy następny.

Nie żałujesz, że nie robisz *Kabaretu Starszych Panów*?

Zastanawiam się, czy na *Kabaret* współcześnie ktokolwiek dałby pieniądze. To był humor niesamowicie szlachetny, ale i wtedy miał ogromne trudności – górnicy słali petycje, by zdjąć *Kabaret Starszych Panów*, bo go nie rozumieli. Był oglądany przez ścisłą elitę, nie miał żadnej konkurencji, bo nie było niczego innego. No, i miał najlepsze gwiazdy, które w nim świetnie zaistniały. Ci, którzy dziś organizują 30. rocznicę premiery jakiejś piosenki w *Kabarecie*, sami nigdy by nie wpuścili takiego programu na własną antenę.

Jednak prawdą jest, że czuję się jak zdrajca. Ci, którzy słuchali *Spontonów* w „Zetce", są źli, że zacząłem prowadzić program w komercyjnej telewizji. Ale dla nich z kolei zdradziłem tych, którzy wcześniej słuchali w „Zetce" mojego programu kabaretowego *Grupa Szczepana*. Im mniejsza widownia, tym wierniejsza i bardziej cię kocha, ale też jesteś zakładnikiem tej grupy.

Najważniejsze jest dla mnie moje wewnętrzne poczucie smaku. Mam taką busolę, a nie mam mistrzów. Ich posiadanie paraliżuje.

Naprawdę nie masz mistrzów?

Nie. Tylko osoby, które lubię i szanuję, jak Mann i Materna, jak Janusz Weiss – mój pierwszy nauczyciel, przewodnik po świecie humoru. Mann i Materna na przykład stworzyli kanony dialogu i podawania dowcipów pozornie nieśmiesznie – w kompletnym antytempie. Te słynne: „Wojtku, a co tu przyniosłeś – 10 sekund przerwy – Krzysiu, to jest żółw".

Do dziś jestem dumny, że zdarzyło mi się napisać jedną piosenkę do kabaretu Dudek. Wojciech Młynarski zaproponował mi napisanie piosenki do *Dudka na Woronicza*. Doszło do tego, bo dzieci Agaty Młynarskiej słuchały moich piosenek ze *Słów cięcia gięcia*.

I moja piosenka spodobała się Młynarskiemu, Derfel napisał muzykę. A wcześniej usiadłem z mistrzem w Bristolu i mistrz naniósł poprawki: „Panie Szymonie, tu jeszcze dwie poprawеczki w ostatniej zwrotce, byłoby zręczniej, jakby rytm był taki"... Przed tym spotkaniem czułem ogromną tremę, w trakcie nie miałem guli, dałem się zoperować, wyciąć ten wyrostek. Powiedziałem: „Mistrzu, działaj, proszę bardzo, oto mój rękopis". Ale po prawdzie, czułem się, jak młody adept, któremu Michał Anioł domalowuje nogę. I choć adept widzi, że to już trzecia, ale mówi: „Wspaniale, tak powinno być". Pomyślałem jednak: „Ludzie! Przecież to Wojciech Młynarski!". Powalił mnie tym, że w jednej chwili wyczuł rytm piosenki i był w stanie do niej dopisywać. Mistrzostwo świata.

Nie wszyscy jednak umieli to znieść, pamiętam, że z kolegiów Dudka niektórzy autorzy wychodzili i już nie wracali. Choć młodzi, byli przecież znani i uznani, a tu nagle ktoś im tekst okrutnie schlastał. Ja wszystko pokornie wytrzymywałem.

Jakim systemem pracujesz?

Zrywami. Lubię pracować z ludźmi, ale świetnie mi się pisze po cichu. Radio było „pracą stateczną". Pisałem sam w domu, jeździłem, nagrywałem. Teraz jestem cały czas dla mojego zespołu z *Szymon Majewski Show*. W większym stopniu pracuję z grupą.

A w filmie chciałbyś zagrać?

Już w trzech grałem i uważam, że to totalna próżność z mojej strony. Wiadomo, że nie będę aktorem, mogę się jedynie wydurniać. Teraz, gdy oglądam *Kilera* i widzę siebie w roli aspiranta Mioducha, to... młody, sympatyczny chłopak coś tam próbuje, ale aktorstwo masakryczne. Mimo to ludzie podchodzą i mówią: „Oglądałem pana, jak był pan Mioduchem, ale śmieszne było".

Ja nie widzę w tym nic śmiesznego, tragiczne było to moje aktorstwo. Na biało mówiłem ewidentnie.

Chyba wszyscy ci, którzy zobaczyli spektakl dziennikarzy *Kopciuszek* w TVN albo w TVP, widzieli, że raczej nie powinienem przekazywać wewnętrznych napięć za pomocą twarzy. Nie miałem problemu z tym, że musiałem się zakochiwać w Monice Olejnik, bo nawet całkiem, całkiem jako Kopciuszek była. Natomiast pokazanie czegoś, co nas nie łączy, na przykład miłości, bo ja ją tylko lubię, to była straszna sprawa. Udawanie jest dla mnie trudne. Niech każdy sobie pomyśli, jak to jest podejść do kogoś i udawać, że się go kocha.

W *Kopciuszku* była scena, gdy przez trzy minuty patrzę na Monikę Olejnik, która śpiewa, i mam przez te trzy minuty pokazywać, że ją kocham. Krystyna Janda – reżyserka spektaklu – już wszystko zrobiła, w końcu powiedziała mi, że powinienem naśladować Juszczenkę, bo podobno Juszczenko wykonuje dużo dobrych gestów: trzyma się za serce, ręce do przodu, znowu za serce...

Ja nie mogę udawać, a jak to robię, to z założeniem, żeby wszyscy od razu zorientowali się, że to ściema.

Kto w naszym społeczeństwie Cię lubi, a kto wręcz przeciwnie?

Ewidentnie nie lubią mnie działacze PZPN i niektórzy dilerzy samochodowi. Mogę to udowodnić na przykładzie imprez, które prowadziłem jako konferansjer.

Prawda, na liście „Newsweeka" jesteś drugim wśród najlepiej zarabiających polskich konferansjerów.

Co nie zmienia faktu, że do tej pory boję się tłumu, trochę się chowam za wizerunkiem „Szymona Majewskiego zabawowego". Nigdy nie mam wcześniej przygotowanego tekstu.

Konferansjerka to dziwna przygoda, która polega na bezpośrednim starciu. O ile całą resztę mojej działalności medialnej można nazwać walką z cieniem i trenowaniem na worku, to konferansjerka jest bezpośrednim starciem z przeciwnikiem…

Przeciwnikiem?

Tak zwanym widzem przez duże „W", przez małe „w" i przez bardzo małe „w".

Jak to się zaczęło?

Wcześnie zaczęto mi to proponować, bo jak Polska zobaczyła tego ówczesnego „Szymumio", niektórzy stwierdzili, że prawdopodobnie prowadzę jakąś działalność estradową. Pamiętam telefon z Rzeszowa. Dzwoni pan i mówi:

„Dzień dobry, panie Szymonie, czy ma pan tira?".

Ja: „Ale po co mi tir?".

„No, rozumiem, że pan gdzieś ze swoimi wynalazkami jeździ".

„A gdzie ja jeżdżę z wynalazkami?"

„Proszę pana, to powiem krótko (tu był przykład młodego wówczas języka biznesowego): widzę w tym pana. Proponuję panu tournée po Rzeszowszczyźnie"…

„Ale gdzie ja miałbym???"

„Proszę pana, już panu mówię – stadiony LZS-u, codziennie inna miejscowość, podstawiamy panu ciężarówkę z napisem „Dziwne przedmioty Szymona Majewskiego".

Nie zgodziłem się, ale oczyma wyobraźni zobaczyłem, że oto przeszedł mi koło nosa niesamowity epizod biograficzny, który być może stałby się podstawą do scenariusza na miarę *Prostej historii* Davida Lyncha.

Oto jedzie ciężarówka marki Star „Dziwne przedmioty Szymona Majewskiego", ja jadę za ciężarówką, popijam whisky, obok mnie siedzi mój wierny pies. Zajeżdżam na stadion LZS-u, ludzie przeganiają gęsi, piłkarze schodzą. Konferansjer mówi: „I oto juuuuuż, proszęęęę państwa, zajeżdża Szyyyymon Maaaajewski, on i jeeego dziwne wynalazki. W tym momencie kończy gwizdać melodie hiszpańskie Stefan Opałko, a po Szymonie Majewskim Marianna Bibka żongluje gęsiami".

Był rozczarowany odmową?

Zrobił „takie uszy", że nie mam tira. Mniej więcej wtedy dowiedziałem się, że jest w Polsce cały wielki biznes: „Dni grilla", „Międzynarodowe dni buraka", „Dzień taczki", że można tam jeździć i to prowadzić. I ta gałąź przemysłu mnie wciągnęła, to tête-à-tête: ludzie, ja i mikrofon. Robiłem to i przez 10 lat nawet nie miałem agenta. Dopiero po 10 latach mi się trafił – dziewczyna, z którą pracuję do dziś.

Lubisz to robić czy tylko w ten sposób zarabiasz?

Lubię. Przecież **zawsze miałem wenę, miałem energię, miałem chęć i stwierdziłem, że to wszystko wykorzystam. Nie miałem za to oporów, poczucia wstydu, obciachu.** Nie ukrywam, że pieniądze są istotne. Wiadomo: małżeństwo, dzieci. W pewnym momencie zaczęliśmy brać te wszystkie kredyty na pralkę. Dusiło mnie gdzieś widmo więzienia, zajętych ruchomości, nieruchomości oraz blokad na psy i na nogi. Zobowiązania nas goniły, a ja brałem kolejne, bo myślałem: „Jeśli zaciągać kredyty, to w tej chwili, gdy jeszcze młody jestem".

Koszty własne działalności estradowej?

To męczące jak koncert, występ. Ktoś może nazwać to chałturą, ale dla mnie to świetne pole do testowania grepsów, żartów. Wiedziałem, że jak żart sprawdzi się „na żywca", tu, przed ludźmi, sprawdzi się też na antenie, w gazecie.

Teraz już mam coraz mniej wpadek, wiem, że gdy widownia generalnie wygląda jak ja, to mnie polubi, wszyscy inni – nie za bardzo. Operuję żartem, który w pewnych kręgach się nie przeciśnie. Zanim doszedłem do doświadczenia, że powinienem wybierać imprezy pode mnie, miałem kilka historii hardcorowych.

Ja, ochroniarz i szef działu kredytów

Rzecz działa się na gali bardzo znanego w naszym kraju banku. Bardzo poważnego banku, banku o dużych tradycjach. Zostałem zawezwany przez ten bank i poproszony o prowadzenie imprezy.

Poszedłem do centrali, rozmowa bardzo miła: „Panie Szymonie, pracownicy pana uwielbiają. Będzie szaleństwo, będą śpiewać karaoke. Szaleństwo w salach Pałacu Kultury. Widzimy w tym pana".

Prowadzę zatem tę imprezę jak się należy. Z mikrofonem szaleję po scenie. Jeden z prezesów przyjechał specjalnie z dalekiego kraju, teraz śpiewa piosenki, w karaoke bawią się wszyscy, alkohol, jak zwykle, leje się strumieniami. I jak zawsze jest katalizatorem ludzkich zachowań, u niektórych coś uwydatnia, niektórych przygłusza. W naszym społeczeństwie pęd do tego płynu jest dosyć spory, dostęp też na tej imprezie jest – bank ma, z naszych kredytów się bawi i po prostu jadą równo. Mnie się nawet wydawało, że jak ktoś tylko tamtego dnia kartą bankomatową przeciągnął, to oni od razu mieli więcej alkoholu.

Więc ja na scenie: wspaniałe aluzje polityczne, szybkie puenty, łapię wszystko w lot, analizuję urodę dziewczyn, kipię od pomysłów, jestem akceptowany, wszyscy mnie kochają.

I nagle ktoś wali mnie w plecy otwartą ręką! Przykleja mi na plechach „pieczęć bankową". Ciało mi niemal nieruchomieje, bo dostaję w jakiś energetyczny punkt, a walenia w plecy po prostu nienawidzę. Profesjonalnie kończę jednak wywód, czując, że teraz ktoś ciągnie mnie za rękę. Z tyłu słyszę: „Eeee", więc jedną ręką i półkulą mózgu walczę z tym obcym z tyłu, a drugą ręką i półkulą ogarniam imprezę. W końcu wyłączam mikrofon, odwracam się i widzę przed sobą łysą glacę, faceta w okularkach z ciętą twarzyczką, mniejszego ode mnie o głowę. Bełkoce do mnie: „Dawaj mikrofon, dawaj mikrofon, ja coś teraz powiem, ja powiem, ja!".

Po tym jego ciosie, co tu dużo mówić, powiedziałem: „Spierdalaj". Bolały mnie plecy, nienawidzę takich ingerencji. A tu widzę, że kolega próbuje wyprowadzić cios. Ponieważ jest wstawiony, robię szybki unik, on się zawija, spada na znajomych.

Chcę tu zaznaczyć, że już wtedy miałem agentkę Wiolę i byłem obstawiony paragrafami, więc niełatwo było mi różne rzeczy zrobić. Od razu zadzwoniłem do agentki: „Słuchaj, jestem na imprezie tego banku i zadymiło się, facet chce się bić ze mną".

Wiola na to: „Tylko cię trafi, dzwonisz do mnie, zrywamy imprezę, oni mają poważne kłopoty".

Idę więc do dyrektora banku: „Panie dyrektorze, tu jest jeden wasz pracownik, ooo tamten pan (a ten tylko mnie widzi i od razu się uruchamia: »Kuuurwa ja cię tam« ... łapami robi wiatrak i idzie w naszym kierunku), o właśnie ten pan idzie do nas, my nie

przypadliśmy sobie do gustu, ten pan chce mi coś zrobić, a ja od razu mówię, że nie chcę w takich warunkach pracować".

Dyrektor banku odpowiada: „Panie Szymonie, wie pan co, cholera, to ten pan?".

„Tak, ten, co idzie w naszym kierunku i chce nas bić".

„To jest szef działu kredytów, wie pan, moja prawa ręka".

„No, widzę, że prawa ręka, i to duża. I właśnie pana prawa ręka chce w mój lewy czy prawy policzek przywalić".

„Wie pan co, no, nie mogę go wyprosić z imprezy. On jest gościem, to jest jego święto, jest ważną personą w naszym banku".

„Ale panie dyrektorze, pan zdaje sobie sprawę, że jak on walnie prowadzącego, to nie będzie prowadzącego – musimy coś z tym zrobić".

„Panie Szymonie, zrobimy tak: dam panu ochronę. Dyskretną. Pan Robert będzie z panem chodził. Panie Robercie, proszę, tu jest pan Szymon, pan Szymon jest zagrożony przez dyrektora działu kredytów. Pan dyrektor działu kredytów chce pobić pana Szymona, bo nie podoba mu się prowadzenie przez pana Szymona, i chce się dostać do mikrofonu. A pan Szymon ma mikrofon, bo prowadzi imprezę, i wiadomo, że skrócić drogi do mikrofonu się nie da, jedyna rada, to trzeba odebrać mikrofon panu Szymonowi, więc pan, panie Robercie, musi bronić pana Szymona".

Robert się ucieszył, bo impreza była jak na razie gładka, wszystko szło jak po maśle, a tu wreszcie ma akcję. Nie wiem, jak nazwać ruch planet, ale generalnie, gdzie byłem, tam był Robert i tam natychmiast pojawiał się ów Stefan. Jak tylko mnie widział, od razu przypominało mu się, że mu nie pasuję. I szedł na mnie, uruchamiając „ręczny wiatrak". Pan Robert brał go wtedy pod ręce, mówił: „Spokojnie", i zaczynał nas rozdzielać.

Nie unikałem specjalnie Stefana, potem już wystarczyło mi spojrzeć w jego kierunku i on natychmiast buzował. Postanowiłem sprawdzić, ile razy gość da się wywołać na pojedynek. Co pewien czas pojawiałem się w polu jego widzenia, a za mną rosły pan Robert. Nie to, że zachęcałem, ale perskie oko puszczałem.

Trwało to, niestety, parę godzin. I w całym tym rachunku bankowym źle została wyliczona jedynie cierpliwość pana Roberta, czyli mojego ochroniarza. W pewnym momencie dialogi pana Roberta i Stefana, który nieodmiennie szedł w moim kierunku, musiały przestać być biznesowe i bankowe. Coraz częściej słyszałem, jak pan Robert cedzi przez zęby: „Won stąd, bo zaraz ci coś tam". I widzę, że pan Robert zaczyna powoli się męczyć, traci status obserwatora, a zyskuje status pokrzywdzonego. Generalnie mam wrażenie, że za moment pan Robert przywali Stefanowi.

Wreszcie o jedenastej wieczorem pan Robert podchodzi do mnie i mówi: „Panie Szymonie, mamy chwilę przerwy między atakami tego Stefana i ja mam pewną propozycję".

„To co robimy?"

„Jest z tyłu pusta salka, w środku nikogo nie ma. Już mnie trochę denerwuje ten Stefan, pan mi go wyprowadzi do tej salki i szybko załatwię panu tę sprawę".

„To znaczy, co pan zrobi?"

„Po prostu trzepnę go i będziemy mieli spokój przez najbliższe trzy godziny".

„No nie, panie Robercie, nie będziemy tłukli, bo to do nas będą pretensje, że prowadzący oprócz tego, że prowadzi, to jeszcze rozwala dział kredytów. Kto wie, czy inny bank go nie wynajął".

I przez następne dwie godziny na imprezie zacząłem chronić Stefana, który chciał atakować mnie, przed panem Robertem, który, chroniąc mnie, chciał przywalić Ste-

fanowi. Była to sytuacja skomplikowana niczym w Strefie Gazy. Udało mi się dotrwać do końca, ale niewiele brakowało. Nawet zaczęło mi być żal Stefana, bo widziałem, że ma okulary, że pił, więc jest z nim źle, a Robert rosły i żądny krwi.

Impreza dla PZPN

Trochę byłem głupi, dałem się namówić na prowadzenie imprezy dla działaczy piłkarskich. Choć mam znajomych dziennikarzy sportowych, nie spytałem, co to za panowie i jak jest z ich poczuciem humoru. A generalnie było z nim cienko.

Przygotowałem zestaw żartów, jak dziś wiem, mocno kontrowersyjnych. Na przykład o nieudolności polskich piłkarzy. To był okres, że gdy piłkarz strzelał, to piłka leciała nie do bramki, a w banery reklamowe wokół boiska. Wysnułem z tego wniosek, że ponieważ kamery zawsze pokazują lot piłki, musi za tym stać układ. Że piłkarze specjalnie „zaczepiają oko kamery" na banerze reklamowym, a firma – właściciel banera – za to płaci.

Powiedziałem o tym działaczom i skończyło się dramatycznie. Były gwizdy, prawie wyproszono mnie z sali. Powiedziałem jeszcze, że jako widz, który ogląda piłkę nożną i się męczy, i z nerwów spożywa za dużo chrupek, proponuję wyjście z sytuacji. Te dwie sprawy można połączyć – niech banery będą tuż za bramką, to może przy okazji gole padną.

Następnie dla bramkarzy, którzy puszczają piłki między nogami, zaprezentowałem spodnie z siatką wszytą między nogawkami oraz między zewnętrznymi stronami spodni a rękawami koszulki. Wtedy usłyszałem okrzyki: „Koniec, dosyć tego!". Jedynym, który się uśmiechnął, był Zbigniew Boniek, ale podobno dlatego, że kotlet spadł mu na spodnie. Panowała żałobna cisza, trwało to mniej więcej dziewięć, dziesięć minut, sam wyczułem, że na tej sali już nie powinienem się znajdować. Szybko podziękowałem i wyszedłem.

Zadzwoniłem do mojego starego znajomego, dziennikarza sportowego, on mnie oświecił. Byłem idiotą, bo mówienie im w charakterze żartu czegoś, co ma miejsce, jest zwyczajnie kretyńskie. Zachowałem się jak straceniec. Kamikadze. Mój znajomy skomentował: „No, stary, prowadzisz imprezę dla tygrysów i śmiejesz się z tego, że tygrysy jedzą łanie". To była moja ewidentna porażka w roli prowadzącego. Cały ten jubel miał zostać nagrany i pokazany w telewizyjnej Dwójce, oczywiście do żadnego nagrywania nie doszło.

* * *

Widać, że nie tak łatwo zadowolić klienta…

Firmy dzielą się na takie, które z musu współgrają z psychiką swojego dyrektora, i te, które nie muszą poddawać się dyktatowi słabego dnia szefa. Miałem na przykład prowadzić imprezę w pięknym hotelu, grał Maanam, założyłem różne żarty i konkursy. Przychodzę do pracy, podbiegają do mnie organizatorki: „Panie Szymonie, prosimy do pokoiku. Panie Szymonie, rezygnujemy ze wszystkich żartów, robimy imprezę stonowaną". A zaznaczam, że to był jubel na 10-lecie firmy.

„Dobrze, ale coś się stało?"

„Dyrektor pokłócił się z żoną".

„Proszę pani, ale do ciężkiej cholery, o tym, że dyrektor pokłócił się z żoną, wie pani, ja, dyrektor i jego żona. Na imprezie jest 800 osób z tej firmy i 800 osobom mam zaserwować depresyjny klimat i może w ogóle się rozpłakać? Ja nie chcę, protestuję, jestem żartobliwym człowiekiem – zrobię to po swojemu".

Zrobiłem po swojemu, wcześniej deklarując, że mogą mi nie płacić. Były wszystkie

grepsy, żarty i konkursy. Wszyscy się odprężyli, wyszło super. Okazało się też, że dyrektor po godzinie z żoną się pogodził.

Ciekawe, co w ich firmie dzieje się, kiedy dyrektor zedrze sobie zelówkę albo nie dobierze skarpetek. Czy wtedy na cały dzień przedsiębiorstwo wywiesza czarne flagi?

Dilerzy samochodowi i Lola Lou

To historia à propos Parady Równości, czyli kwestii, która w rozmowach Polaków będzie gościć przez najbliższych parę lat. Otóż jeden z banków, który obsługuje dilerów samochodowych, postanowił ugościć pracowników motoryzacyjnych salonów sprzedaży.

Dilerzy samochodowi, wiadomo, fascynaci motoryzacji, nowych typów zagłówków, full wypasów, spojlerów, wywieszonych na zewnątrz łokci, rozwianych grzyw, prowadzenia samochodu jedną ręką, ścigania się, opon cienkich jak rękawiczki – generalnie, całkowicie nie moja bajka. Jeżdżę wolno, prawym pasem, 70 na godzinę, długo się zastanawiam, nim wykonam manewr. Najszybciej jechałem w życiu 120 w Polsce, 180 raz na autostradzie w Niemczech.

Jesteśmy zatem na spotkaniu miesiąc przed imprezą. Mam w głowie wyraźny obrazek upodobań dilera samochodowego. Przedstawiam moje pomysły i pytam: „A jakie są wasze?". I wtedy szefowie tego banku mówią: „No więc właśnie, mamy pomysł, żeby na imprezie zaśpiewała bądź zaśpiewał Lola Lou". Wyjaśniam, że Lola Lou to sympatyczny Francuz mieszkający w Polsce, który występuje w warszawskich lokalach, jako drag queen.

Odpowiadam: „Słuchajcie, wiem, o kogo chodzi, szanuję, nie mam nic przeciwko, osobiście wolę moją żonę, wiem, że fajnie śpiewa, ale od razu was ostrzegam, że to jest menu dla agencji reklamowych, artystów, pracowników galerii malarstwa, długowłosych ludzi teatru, kultury i sztuki – i też nie wszystkich, bo pana Andrzeja Wajdy bym na taką imprezę nie zaprosił. Generalnie Lola podkręci młodych ludzi z kolczykiem w nosie, dredami, odkrytymi brzuchami – i nikogo więcej".

„Nie, będzie super, namówiliśmy dyrektora naszego banku na występ Loli Lou, poszedł, ona śpiewała, dyrektor zachwycony, wyszło rewelacyjnie!"

„Ostrzegam was, w głowie szumi mi myśl, że to się nie może udać".

„Nie, będzie super!"

Oczywiście wyszło na moje. Jest impreza, hotel. Jak się spodziewałem, mniej więcej co trzeci wśród gości w białym garniturze, wąs się kręci. Już czuję, że będzie nieźle.

Przychodzi Lola Lou, spotykamy się w garderobie. Lola Lou na moich oczach zmienia się w kobietę – zakłada długie srebrne botki à la Donna Summer, kabaretki, złotą suknię, klei rzęsy jak stąd do Piaseczna. Maluje się. Jestem w tej dobrej sytuacji, że być może mam przeczucie nadchodzącej przyszłości, spacerowałem między tymi, dla których ona będzie śpiewać. Ona jeszcze tego nie wie. Ale OK, została wybrana.

Wychodzę na scenę, robię jakąś interakcję, nawet jest aplauz, ludzie się bawią, jest wesoło. Wielka sala, serwetki, kelnerzy, dilerzy pewni swego seksualizmu, okopani na linii hetero, czują, że firma ich doceniła. Kochają swoje żony, ale chcą zawiesić na kimś oko – rozbuchani, bo to wieczór marzeń, są w Warszawie, może coś im się przytrafi.

Mówię: „Proszę państwa, oto przed wami megagwiazda z innej planety – staram się jakoś określić to, co ich czeka – oto ona: Lola Lou". Snop światła na wejście, białe drzwi się otwierają i wychodzi Lola Lou. Już widzę, że jest słabo.

Lola Lou zaczyna śpiewać piosenkę *I will survive* Glorii Geynor, kapitalnie to śpiewa. Widzę, że kubki z kawą zastygły w rękach, widelce i noże też. Kotlety stygną. Kopary opuszczone. Totalna cisza.

Lola Lou ma zwyczaj, że przechadza się między stolikami niczym Ordonka w piosence *Miłość ci wszystko wybaczy* i muska siedzących gości, uśmiecha się, zatrzymuje przy niektórych. Widzę tych wyróżnionych przez nią facetów... Gołota miał taką minę, gdy leżał na deskach – to był ten moment, kiedy patrzył w górę, nie wiedział, co się stało, dopiero 50. sekunda walki, to dlaczego leży? Może w ogóle rano nie wstał? Może nie wyszedł z domu? Może coś mu się przyśniło? Dlaczego to już koniec? A co z marzeniami o wielkim pasie?

U nas też był koniec, tylko Lola Lou i brzęcząca mucha. Wytrzymali sześć piosenek. Skończyła śpiewać – totalna cisza. Lola Lou schodzi, siada na zapleczu załamana. Tam cisza. Wszyscy wyszli z sali. Stanęli na zewnątrz, wyciągnęli cygara, żeby pokazać swoją autentyczną męskość.

Ja tych dilerów nie potępiam. Dla nich to był po prostu zły wybór. Problemem części facetów jest ich własna seksualność. A nuż, jeżeli spojrzę na Lolę Lou, koledzy pomyślą, że coś jest ze mną nie tak. Albo – za przeproszeniem – drgnie mi ptaszek, czy to znaczy, że jestem homo?

W ogóle nie mam z tym problemu. Pociągają mnie kobiety, podoba mi się moja żona, rozmawiając z Lolą Lou, czułem się superodprężony. Wiedziałem, że mogę mu przybić piątkę, mogę go objąć i będzie OK.

Przy drugim wyjściu Loli na sali nie było nikogo oprócz uśmiechniętej pani, której prawdopodobnie po prostu podobały się te piosenki. Reszta na zewnątrz komentowała, co im się przytrafiło i jakie to okropne. Dyskutowali, co to za gejowska impreza.

Skończyło się tak, że panom puściły nerwy i dla nich gejami byli już wszyscy w tym hotelu. Nie wiem, czy bank, który to organizował, ale przede wszystkim ja! Zapamiętali mnie jako: „tego drugiego, co zapowiada", a jak widać, noszę jakieś srebrne obrączki na palcach. Uznali, że ktoś bez sumiastych wąsów, za to z malutkimi, jak moje, wystrzyżonymi niczym książę Bogusław Radziwiłł, to musi być gej.

Leciały komentarze. Wiedziałem, że gdybym został tam pół godziny dłużej, skończyłoby się nawalanką, bo panowie byli mocno agresywni. Odbyłem rozmowę z Lolą Lou. Było mu bardzo przykro. Pocieszałem go.

Poradziłem też, żeby wyprowadzili chłopaka innymi drzwiami. Gdy wychodziłem, jeden diler, najbardziej wąsaty i agresywny, już do mnie rzucał: „No, co tam, ciota?". Odwróciłem się i zapytałem: „Masz problem?". Wiedziałem, że jestem tam w mniejszości, nie miałem pana Roberta, ochroniarza, a mimo to starałem się chociaż jakimś krzywym, zaczepnym okiem na niego spojrzeć.

Zdumiała mnie ta potworna siła jego frustracji. Odtąd wiem, że w Polsce o parady gejowskie nie ma co na razie walczyć, bo ludzie kompletnie nie są gotowi. Może za 15-20 lat.

Bankiet na betonowym klepisku

To była jedna z najbardziej zdumiewających imprez, w jakich brałem udział. Gdybym ją sfilmował ukrytą kamerą... powstałby szokujący obraz w stylu *Pieskiego świata*.

Będąc w zapaści finansowej, zgodziłem się poprowadzić imprezę dla jednego z czołowych producentów z branży spożywczej. Impreza miała się odbyć na wielkim beto-

nowym placu, a była przeznaczona dla paru tysięcy sklepikarzy, którzy w swoich sklepach i punktach małej gastronomii serwowali jakieś konkretne wyroby.

Szef firmy, która ich zapraszała, nie za bardzo chciał wydać pieniążki, żeby oni się przespali w Warszawie, więc zaserwował „zlot słoneczny". Jechały na plac autokary z całej Polski, jechały całą noc. Przywoziły ich na jeden dzień i miały od razu po zabawie zabrać z powrotem.

Goście dojechali już w ciężkim stanie. To była operacja „Samum". Na wcześniejszym spotkaniu z jednym z organizatorów usłyszałem – co mnie powinno tknąć – „W tym roku będzie dobrze, ponieważ w autokarach są ochroniarze. Po jednym na autokar". Zapytałem, po co ci ochroniarze. „A bo wie pan, oni tutaj jadą na zabawę, więc chcą ją sobie przedłużyć i zaczynają już w autokarze. W zeszłym roku mieliśmy incydent, że panowie wracający do domu... krótko mówiąc... wysadzili kierowcę zza kółka i porwali autokar. I zajechali na własną dodatkową imprezę".

Ci też jechali całą noc i się nie oszczędzali. Lato, oni dojeżdżają na betonowy plac, żar leje się z nieba. Serwują piwo, które po tym, co już spożyli w autobusie, działa tak, jak działa. Ponieważ od góry grzeje słońce, a od dołu beton, to piwo staje się natychmiast ciepłe i jeszcze bardziej działa tak, jak działa.

Jest też na tej betonowej działce cykl zabaw ruchowych, od piłki nożnej po skoki na trampolinie. Oczywiście i tu natychmiast przydzielono mi ochroniarza, bo panom nie zawsze podobało się, jak rozporządzam ich czasem. Że na przykład informuję, że skończyła się już zabawa w siatkówkę i zaczęła piłka nożna. Panowie na to źle reagowali. Chcieli prowadzącemu wyperswadować.

Jedna z gwiazd polskiej estrady, Czarek Pazura, był na tej imprezie zakontraktowany na krótki występ i półtoragodzinne rozdawanie autografów. Ustawiła się do niego kolejka, a ja jako prowadzący po półtorej godzinie musiałem ogłosić, że koniec z autografami, co spotkało się z nieprzyjazną reakcją. Podbiegła pani, wyrwała mi mikrofon i mówi, że ona nie po to czeka w kolejce, żeby odejść z kwitkiem. Na to Czarek Pazura odpowiada, że jest chory i musi do lekarza, a ona mu z bluzgami, że żaden lekarz nie przyjmuje w sobotę.

Okazało się, że jednak przyjmuje – na zajęciach z piłki nożnej paru panów połamało ręce. Zostali w stanie wskazującym na spożycie odwiezieni do szpitala, gdzie założono im gips. Wrócili na imprezę i tańczyli z tym gipsem, nogi mieli jeszcze sprawne.

Natomiast na koniec doszło do makabry. Skończyła się impreza, plac wyglądał jak pobojowisko. Skrzyżowanie Psiego Pola z Verdun, jakby przez dwa lata stał tam front: buty było czasami widać, tu marynarka wisi, walają się niedojedzone kiełbasy.

Autokary podjeżdżały i wtedy doszło do sytuacji, w którą nadal nie do końca mogę uwierzyć. Stoję z szefową marketingu firmy organizatora przy moim samochodzie, już się skończyła praca, więc gawędzimy sobie tak na podsumowanie. Nagle widzę, że zza węgła alejką zbliża się do nas pan – jeden z prowincjonalnych przedstawicieli organizatora. Bez koszuli, na bosaka, z tyłu, za spodnie ma wsadzony wielki krzak jałowca. Wyglądał jak kogut, ale to jeszcze nie wszystko. Pan ma lniane spodnie, w których to spodniach niesie porządną kupę! I tak zataczając się, zmierza do autobusu, co spotyka się z natychmiastowym protestem ludzi, którzy mają z nim jechać.

Mówię do szefowej marketingu: „O, widzi pani, idzie jeszcze jeden z waszych pracowników". Ona: „Nie, to chyba musi być ktoś z zewnątrz". Oczywiście zaprzecza do momentu, kiedy ten pan dochodzi do autokaru. Opisałem mojej żonie, która jest totalną estetką, co mi się tam przytrafiło...

Za każdym razem, gdy widzę taki obrazek, mam wrażenie, że wcześniej czy później coś z tym zrobią. Nawet chciałem namówić pana Feliksa Falka do nakręcenia *Wodzireja III*. Falk, jak słyszał moje opowieści, nieźle się obśmiał, miał jednak obawy przed wejściem trzeci raz do tej samej rzeki.

***

Po imprezie, która kończy się jak ta, natychmiast zawężam swoją klientelę.

To znaczy?

Informuję moją agentkę: „OK, tym już dziękujemy". Unikam trudnych tematów. Teraz – gdziekolwiek usłyszę „panowie z PZPN" – po prostu nie będę tego robił. Oni nie będą zadowoleni i ja też nie. Być może jest ktoś, kto lepiej ich zabawi. No i pamiętajmy, że podaję przykłady skrajne, ale to ułamek imprez, które udały się super.

Kto na przykład lepiej by pasował do tych, które się nie udały?

Hurtownicy rozrywki. Są ludzie, którzy potrafią prowadzić dwie, trzy imprezy w ciągu dnia i latać na nie helikopterem. Wyobraź sobie następującą sytuację: dzwonią do mnie i mówią: „Panie Szymonie, chcemy, żeby pan poprowadził imprezę w Zakopanem".

„Przepraszam, ale właśnie jestem nad morzem, koło Starogardu Gdańskiego".

„Nie ma żadnego problemu. Jutro – bo ta impreza jest jutro o siódmej"...

„No tak, ale jutro będę w Kościerzynie".

„Panie Szymonie, my wyślemy helikopter. A jest tam pole obok pana, na którym można wylądować?"

I jak to jest być dzieckiem kogoś, kto jest skrzyżowaniem Batmana z 007? Rodzina na wakacjach, stół, śniadanie, jeżdżę z dzieckiem na rowerku, gram w piłkę. I nagle nad stołem kołuje samolot, Szymon Majewski wstaje od stołu, mówi: „Cześć". Helikopter nie może wylądować, wychyla się linka... już na pokładzie przebieram się w garnitur, lecę, prowadzę imprezę, wracam tego samego dnia, tym samym helikopterem.

Raz zdarzyło mi się zgodzić w podobnej sytuacji, byłem na wakacjach nad morzem, a impreza miała się odbyć 20 kilometrów stamtąd.

Po prostu podjechałem kawałek.

Imprezy, które dobrze wspominasz?

Duże wydawnictwo prasy kolorowej. Sylwestrowe przyjęcie, nagrody. Świetnie się bawiłem, ludzie kumali, o co mi chodzi, zabawa super. Taka praca to naprawdę radocha. Choć to zarazem bardzo męczące zajęcie, warte tych pieniędzy, które czasem mi za to płacą.

Dobrze?

Płacą OK. Ale to nic w porównaniu do budżetów imprez. Chcesz – budujesz zamek. Firma chce mieć zabawę w wojny gwiezdne, to ma zabawę w wojny gwiezdne. Jest wszystko oprócz fruwających statków, ale prezes pojedynkuje się z Yodą.

Szef Coca-Coli chce wjechać na słoniu i gnieść puszki pepsi – załatwiają to, jest podstawiony słoń. Są imprezy, na które goście dolatują balonami. Prowadziłem imprezę, na którą jechaliśmy pociągiem. Na ten pociąg napadły czołgi, a szef, Francuz, został porwany.

Takie imprezy mogą być parodniowe, z intrygą – na przykład szukaniem skarbu. Ludzie z wielkich firm uwielbiają się bawić w odnajdywanie różnych rzeczy. Przebierają się za komandosów i szukają „reaktora jądrowego", który jest zrobiony w skali 1:1 i schowany w stodole. Jedna firmowa ekipa z paintballem pilnuje tego reaktora jądrowego, a druga dostaje w piątek wieczór sygnał w Warszawie, że ma go zdobyć. I wtedy mam wrażenie, że to nie ja jestem dziecinny…

Zastanawiam się zawsze, jak wygląda życie seksualne tych ludzi. Może w paintball możesz strzelić tyle razy, ile chcesz, a pod kołdrą nie za bardzo?

Dobrze się czujesz w roli prowadzącego?

Od momentu, kiedy wyjdę, usłyszę swój głos, już nie ma problemu. Wiem, że ludzie generalnie lubią, kiedy mówi się do nich. Najprostszy greps to wyłowić kogoś z tłumu i powiedzieć: „O, widzę, że panu coś się nie podoba. Pan chciałby kogoś innego. Woli pan, żeby Krzysztof Ibisz był? O, rozumiem". Już jest fajnie.

Ludzie lubią też, jak trochę podrze się łacha z ich prezesa. Często prowadziłem imprezy dla firmy farmaceutycznej. Mają prezesa Niemca, ale z totalnym dystansem. Za każdym razem żartowałem, a to o bitwie pod Grunwaldem, a to o reprezentacji Niemiec, która ostatnio słabiej gra. On kompletnie nie miał z tym problemu, wchodził we wszystkie gry, zabawy.

Bohater masowej wyobraźni, niczym Twój ulubieniec Michał Wiśniewski. Obaj bardzo dbacie i o to, w czym Was ludzie oglądają. Zastanawiacie się, co na siebie na estradę włożyć.

Mam gust ciuchowy i doskonale wiem, co chcę założyć. Czasem oddaję się w ręce stylistów i wizażystów, jeżeli uznam, że są w porządku.

Rozumiem, że jeżeli robimy show, zabawę, wygłupy, to i element, jakim jest strój, powinien być wystrzałowy. Cenię to, co mi proponuje Blacha, czyli Sławek Blaszewski – ufam mu, a on rozumie mój styl.

Zawsze lubiłem ubierać się nieco dziwnie. W czasach licealnych w domu u Tulczyka, w starym, przedwojennym mieszkaniu na Ochocie, funkcjonowała cała fabryczka. Mieliśmy u Tulczyka zakład farbiarski. Przerabialiśmy komunistyczne dżinsy Elpo na dżinsy zachodnie. Potem pięknie się spierały, ten czarny barwnik puszczał, więc nabywały szlachetnej szarości. Im bardziej używane, tym lepiej wyglądały.

Na „Różycu" kupowaliśmy apaszki i buty robociarskie wynoszone z zakładów pracy. Jeżeli się je fajnie polakierowało, przypominały rumunki albo oryginalne glany.

Rok 1993 – jestem buntersem, ale jeszcze trochę harcerzem…

Rumunki?

Wtedy podstawą było mieć rumunki, czyli buty rumuńskiej armii. Były słynne w całej Warszawie, bo nadawały punkowy sznyt. W tamtych czasach moje umundurowanie to była sztukateria. Pierwsze oryginalne dżinsy Levisa kupiłem za pensję w Radiu Zet, miałem 26 lat. W szkole levisy dostawałem „po kuzynie". Wyglądały jak siatka. Mama w nie wstawiała ekrany, podbudówki, retuszowała niczym starą kamienicę.

Mogłem się w nich poruszać, stawiając 35-centymetrowe kroki. Każdy większy groził tym, że strzelą i się rozpadną. I oczywiście nosiłem je przez dwa dni, bo drugiego dnia koledzy zaproponowali: „Zagramy w piłkę, staniesz na bramce". Nie tylko Jerzy Dudek wie, że na bramce od czasu do czasu trzeba rozkraczyć nogi. Jak dałem wykrok, spodnie strzeliły od paska przez cały spód do drugiego paska.

Kurtka mojego ojca

Mam jeden ciuch, który darzę nieprawdopodobną sympatią. Nawet w miesięczniku „Dom i Wnętrze" został na moją prośbę sfotografowany przy okazji jakiejś sesji.

To dżinsowa kurtka Lee, którą dostałem od ojca. Ojciec ją sobie kupił w latach 60. Legenda rodzinna była taka, że kupił tę kurtkę za dwa dolary specjalnie na koncert Rolling Stonesów. Rzeczywiście był w niej w 1967 roku na Stonesach w Sali Kongresowej. W 1967 się urodziłem, czyli łatwo obliczyć, że kurtka może mieć około 40 lat.

Ja tę kurtkę przejąłem w osiemdziesiątym którymś roku. Była już niesamowicie wysłużona. Przecierała się, można było przez nią oglądać zachód słońca i panoramę Tatr. Napisałem z tyłu „Kult" na cześć Kultu i Kazika Staszewskiego.

W tej kurtce pojechałem na koncert Rolling Stonesów w 1992 roku do Pragi, to była trasa „Steel Wheels" albo „Urban Jungle". W tej samej kurtce pojechałem miesiąc później na koncert Stonesów do Berlina. Wybraliśmy się z Pawłem Szadkowskim – jego maluchem, dołączył Doman Nowakowski, facet, który dziś jest dramaturgiem, a wtedy pisał reklamy. Opowiedziałem Domanowi historię mojej kurtki. A on napisał sztukę *Usta Micka Jaggera*, historię o dziadku, ojcu i wnuku, którzy jadą na Stonesów.

...i człowiekiem o kreatywnym podejściu do swojego wyglądu.

Nie mogę powiedzieć, że moje wesele zainspirowałoby współczesnego Wyspiańskiego, bo trwało pół godziny i odbyło się w Pałacu Ślubów, ale moja kurtka na pewno weszła do literatury. Jestem z tego bardzo dumny. Czasem nawet, jak mam dobre samopoczucie, to i dziś tę kurtkę zakładam.

***

Ciuchy zaniedbałem, gdy pojawiły się dzieci i nasza główna finansowa energia szła na to, żeby zapłacić za wynajęcie mieszkania. Grałem w nocy imprezy jako didżej, a honoraria za nie wydawałem na Bebiko i pampersy. Przez pięć, siedem lat chodziłem w bluzach z kapturem.

Gdy sprawy finansowe się uspokoiły i w miarę wyszedłem na prostą, wróciłem do mojego hobby. Choć te moje ciuchy wcale nie muszą być drogie. Genialny płaszcz Magda kupiła mi na przykład w lumpeksie, chyba za 10 zł. Był taki słynny lumpeks w Jastarni. Po wakacjach nad morzem zawsze wracaliśmy z drugą, pełną ubrań, walizą.

Teraz Blacha sprowadza mi z Zachodu ubrania po fajnych cenach. Mam też kumpla Andrzeja, który przywozi ciuchy ze Stanów. Nie przykładam wagi do metek, ale z drugiej strony lubię rzeczy, o których wiem, że tylko ja je noszę.

Mam ewidentną słabość do zegarków, na przykład Diesla o dziwnych kształtach. Całe życie śniło mi się, że znajduję zegarki, i dwa rzeczywiście znalazłem. Kiedyś koło bramki wypatrzyłem radzieckiego Poliota.

Śmieszne jest natomiast to, że ciuchy ludzi z telewizji są tak bardzo komentowane. Ludzie mówią o kolorze zegarka, deseniu koszuli. Piszą do mnie maile z pytaniami, skąd mam taki to a taki zegarek.

Wylansowałeś jakąś modę?

Nie, ale ludzie podobnych rzeczy szukają.

Ktoś nachalnie próbował zmieniać Twój telewizyjny albo estradowy wizerunek?

Nie. Wyczuwam ludzi, którzy się nie znają, a dużo mówią, jak się znają.

Po czym?

Po tym, że nadmiernie stwarzają wrażenie, że się bardzo znają. Nigdy nie było tak, że ktoś próbował wymyślić, jaki mam być. To jak z tym facetem ze wzorami dowcipu – w moim przypadku to w ogóle nie działa. Jestem, jaki jestem, i albo to ktoś akceptuje, albo nie. O, znowu posłużyłem się mottem Michała Wiśniewskiego. Nawet w umowie na prowadzenie imprez mam punkt, że: „zamawiający akceptuje wizerunek sceniczny wykonawcy". Można to przetłumaczyć krótko: „Widziały gały, co brały".

A Twoja powierzchowność – masz tu kompleksy?

Na wielu spotkaniach towarzyskich i imprezach w Warszawie pojawia się pani, specjalistka od chirurgii plastycznej. Patrzy na ludzi jak na fantomy do poprawienia. Na jej widok zawsze próbuję ucieczki, bo przecież wiem, co mi dolega. A ona, gdy tylko mnie widzi, z daleka krzyczy: „Worki pod oczami są do zoperowania, mogę ci to zrobić gratis!".

Nie widzę u Ciebie worków, nie mam z tym – jak mówisz – problemu.

A ja mam! Wokół ludzi związanych z telewizją istnieje system „naciągnięć" i drobnych szantaży. Jeżeli zajmujesz się w jakiś sposób swoją cerą, bo chodzisz do kosmetyczki, to nagle ni z tego, ni z owego pada propozycja: „No, ale przecież można coś zrobić, tu zlikwidować plamę albo tam coś dołożyć".

I zaczynasz myśleć o czymś, o czym do tej pory nie myślałeś. No, ale przecież ktoś, kto jest specjalistą, ładnie ci przedstawia, że warto. W końcu zaczynasz wierzyć, że właściwie to niezbędne. I oczywiście sprawia ci przyjemność, że ktoś się tobą zajmuje, opiekuje, dba o twoje interesy…

Zastanawiam się, w którym momencie w ludziach ekranu rodzi się chęć poprawienia swojego wizerunku i zarazem – gdzie tu jest granica. Jeśli wczoraj byłem na czyszczeniu zębów, a dzisiaj idę na wybielanie, to czy już ją przekroczyłem i skończę niczym Zsa Zsa Gabor.

Co było nie tak z Twoimi zębami?

Chodzę do dentysty, jak wszyscy. OK, plomba, dziura w zębie, jak najbardziej konieczna sprawa – robię. Cholera, resekcja – no, robię, bo powinienem. Uwaga, ponieważ wyrwałem ząb parę lat temu, mam przerwę.

I co – zostawić? Bo już proponują implant w to miejsce. Podobno zębom, które są obok, smutno po tym, co był w środku, i z tego smutku bardziej się niszczą. No, i na dobrą sprawę racja, przecież powinienem wstawić implant. Ale implant już dla mnie brzmi trochę tak jak botoks.

Może to uzupełnienie czegoś, co naturalnie było, ale ubyło?

W porządku. Ale znów uwaga – mam krzywy zgryz. Może widzowie, którzy oglądają mój program, jakoś się nie zagłębiają. Jednak na zbliżeniach można zauważyć, że mam niedokończoną terapię ortodontyczną, do zębów Moniki Richardson mi daleko. I co zrobić, gdy proponują: „Panie Szymonie, w telewizji musi pan mieć proste zęby", to co – aparacik? Czy to już jest przekroczenie tej granicy?

Ilekroć robię z zębami coś, co przekracza zdroworozsądkowe sumy, zastanawiam się, ile my forsy pakujemy w coś, co i tak będzie leżało w trumnie. Generalnie po 50 latach zostaje po nas tylko czaszka i plastikowe spinki do koszuli, co trzymają kołnierzyk – wiem, bo moi znajomi musieli niedawno przenieść grób.

Oczywiście ktoś zaraz powie, że od zębów wiele chorób, dyskomfort i bóle głowy... ale wyobrażam sobie, że to inwestowanie strasznych pieniędzy w coś tak małego... coś, co usta ci czasem przykrywają, a w nocy nikt tego nie ogląda, coś, co za 30 lat będzie leżeć w drewnianej skrzynce. Nikt sobie tego nie weźmie, a niektórzy mają w zębach, za przeproszeniem, mercedesa. I z tym mercedesem zabieramy się na tamten świat. Jakby ktoś policzył majątek leżący na cmentarzach...

Żebym chociaż mógł komuś te zęby przekazać. Wyjmuję i wręczam synowi – na zasadzie sztafety pokoleń – albo na aukcji sprzedaję: „Proszę państwa, oto licytujemy szczękę Szymona Majewskiego, wartość 200 tysięcy złotych, o, tutaj koronki, tu ślad po tym, jak otwierał butelkę z piwem".

I ciągle jeszcze nie wyobrażam sobie, żebym miał te worki pod oczami operować. Wolę wyglądać jak cocker-spaniel. Ale może za parę lat uznam, że to niezbędne?

A czy granicą nie jest to, że wygląd przysłania komuś to, co w telewizji robi?

U mnie, na szczęście, nie ma walki, że sam start nagrywania programu jest okupiony trzygodzinnymi przygotowaniami. A reżyserię determinuje sposób ustawienia światła na prowadzącego. Może facet ma tu łatwiej. Jak się zaczyna i kamera idzie, w ogóle przestaję myśleć, czy wyglądam tak czy siak.

Nawet bez operacji plastycznej i z krzywymi zębami jesteś bardzo lubianą telewizyjną postacią. Dostajesz pluszowe miśki, kwiaty?

Nie. Nie podaję prywatnych adresów, poza wizją właściwie się chowam. Popularność jest bardzo miła i fajna, ale nie chcę się od tego uzależniać. Nie chcę być niewolnikiem fanów.

Łatwo się uzależnić?

Od uwielbienia – tak. Zaczynasz żyć życiem megagwiazdy. Staram się przemykać, nie bywać. **Za żadne skarby nie chcę mieć fan clubu...**

Czemu?

Bo fan club to już prawie kościół. Kult jednostki. Jedziesz na spotkanie, gdzie czeka 400 ludzi, którzy cię uwielbiają. I co oni mają dla ciebie zrobić? Czego od nich zażądać? Ofiary z baranka? Z ciała niewieściego – no, nie wiadomo.

Takim miejscem kultu są Międzyzdroje. Kompletnie chorym miejscem, które właściwie ma służyć tylko temu, żeby wielbić tych, co tam przyjadą na Festiwal Gwiazd, i gonić ich po chodniku.

Ci znani, którzy tam jadą, tak zwane gwiazdy, co to odciskają w betonie kolejne części ciała, jadą do tych ludzi, a potem przed nimi uciekają. Totalnie schizofreniczna sytuacja. Uwielbiany aktor jedzie tam, jest trzy dni, a następnie otrzymuje ochroniarza i ucieka przed ludźmi, do których przyjechał. Pojawia się słuszne pytanie, po kiego grzyba jechał? Choć z drugiej strony, wiadomo, za darmo kolacje, bankiety...

Może pojechał po to, żeby pokazać, że jest niedostępny?

Ale z założenia jedzie się na Festiwal Gwiazd, żeby się udostępnić. Przecież ci idole myślą tak: im dłuższy sznurek ludzi biegnie za gwiazdą, tym gwiazda większa. Jest licytacja: temu robią zdjęcia, tamtemu – mniej. Słyszałem o słynnym aktorze, który widząc, że nie zwrócono na niego uwagi, bo przed nim wszedł do hotelu jeszcze inny aktor, który w danym momencie był bardziej popularny, wykonał pad na ziemię, że niby nastąpiło zagrożenie jego życia, zdrowia i warto to sfotografować.

A Ciebie to, że fotografują, kompletnie nie rusza?

Nie pcham się tak bardzo przed obiektywy. Oczywiście jak gdzieś pójdę, to mi zrobią parę zdjęć. To bezsens kompletnie się okopać w jakimś kopcu kreta i udawać, że popularność cię nie dotyczy, nie interesuje. Jak chcesz być totalnie anonimowy, to nie jest ten zawód. Staram się zrozumieć, że ludzie – wielbiciele czy paparazzi – chcą mi zrobić zdjęcie, a z drugiej strony, cholera, lubię, jak o to poproszą, a nie strzelają z kolana. Że niby to idą w krzaki, a tak naprawdę gimnastykują się, żeby mnie objąć z komórki. Wtedy czuję się jak Indianin, który wierzy, że zdjęcie kradnie mu duszę.

W Polsce chyba nie ma jeszcze zupełnie okrutnych zdjęć gwiazd, typu pijany piłkarz Paul Gascoigne leje sobie do gardła wódkę z kilku butelek.

Mam wrażenie, że to kwestia czasu. Nasi paparazzi mówią, że na rynek właśnie wchodzą młodzi, totalnie bezwzględni. Jeżeli on za jedno zdjęcie dostaje 1000 złotych, to za parę może się jakiś czas utrzymać.

Proszę bardzo, będą procesy, będą przegrywać gazety. Pewnie będą mieć na te odszkodowania specjalny fundusz – OK.

Nie zamieni to Twojego życia w piekło?

Musiałbym najpierw sam całkiem zmienić życie. Jestem z moją żoną, żyjemy stabilnie. Pewnie gdybym zaczął pokazywać się z Kasią Cichopek albo z Anią Powierzą... M jak miłość, C jak Cichopek, M jak Majewski – już widzę te tytuły – R jak razem. Żona płacze i – na tej samej stronie – zdjęcia mojej żony zapłakanej, ze spuchniętymi oczami...

Szymon, powiedz, kim Ty – ostatnio telewizyjny gwiazdor – jesteś z zawodu?

Nikim. Ostatecznie technikiem urządzeń medycznych też już nie jestem, bo ten papier trzeba było odnawiać, chyba co trzy lata – ciągle wchodziły nowości, które należało umieć obsługiwać.

A technik autoklawów z obsługą pieców sterylizacyjnych gazowych i parowych to byłby mój jedyny formalny fach. Ten jeden jedyny papierek naprawdę musiałem zdobyć, bo to był warunek odpracowania wojska w szpitalu. Pamiętam, że dziewczynom strasznie się podobało, jak się przedstawia-

łem, że jestem „technik autoklawów z obsługą pieców sterylizacyjnych gazowych i parowych".

Przez te moje problemy z egzaminem dojrzałości i dostaniem się na studia zawsze, kiedy później odbierałem jakąkolwiek nagrodę, miałem wrażenie, że „są mi to winni", że to zadośćuczynienie ze strony wszelkich „nauczycieli".

Uznałem, że jak dają mi Wiktora, to jakby mówili: „Nie wiedzieliśmy, że jesteś taki cudowny, przepraszamy i teraz odparowujemy ci tego Wiktora jako rekompensatę".

Mama zawsze miała kompleks mojego braku wykształcenia. Tłumaczyłem: „Mamo, ale mam już te moje trzy cztery, trzy pięć, trzy osiem i, cholera, po prostu nie będę do szkoły chodził. Już chyba nikt mnie o papier nie zapyta, skoro do tej pory nie zapytali, a tyle lat w radiu pracowałem, w telewizji mam program i nawet do kabaretu Dudek napisałem piosenkę".

Czuję się jak mafijne pieniądze – już przeszły przez pralnię, już wpuszczone na rynek, więc takie trochę bardziej legalne niż kiedyś. Wydaje mi się, że nikt nie wie, jaka była moja przeszłość, że nie pamiętają, że nie mam tego papierka.

A z drugiej strony latami wyobrażałem sobie, że jestem w radiu i nagle zmieniają się czasy. Przychodzi komisja złożona z profesorów, może nawet pojawia się w niej dyrektorka mojej szkoły, a może i pani profesor Teraz.

Oni mówią: „Dzień dobry, witamy serdecznie, jesteśmy z komisji badającej pracowników anteny, czy ma pan papier świadczący o tym, że jest pan zawodowcem i może wykonywać zawód, który pan wykonuje?".

Ja: „Przepraszam, szanowna komisjo, ale nie mam takiego papieru".

„Jak to? I siedzi pan przy mikrofonie? Przecież powinien pan mieć stempelek, na przykład z działu języka polskiego, że mówi pan poprawną polszczyzną. A zdał pan fizykę i chemię? A co z biologią? No, jak pan może wykonywać ten zawód, skoro nie wie pan, że żurawie składają jajka jesienią"...

Gdy miałem odbierać Wiktora, pomyślałem – też półżartem – że na sali ktoś wstanie: „Momencik, *liberum veto*, ten pan przecież nie zdał w trzeciej klasie i nie ma wyższych studiów". Nadal mam takie myśli, choć przecież znam scenariusze. Wiem, że – przepraszam za porównanie – Jima Morrisona nikt nie pytał, czy ma dyplom ze śpiewu.

Mama musiała Ci naprawdę strasznie wypominać...

Bo to był jej atawistyczny lęk z czasów komuny. Wtedy facet pracujący w radiu musiał mieć ojca pułkownika, matkę w Podstawowej Organizacji Partyjnej i kartę mikrofonową wydaną przez pierwszego sekretarza. Mama przez lata żyła w kulcie papierka. Gdy w wyborach prezydenckich pierwszy raz wygrał Kwaśniewski, to wielu ludzi poczuło lęk, że stare wróci.

To zwycięstwo nakarmiło i mój lęk. Fakt, ludzie już nabrali wiatru w żagle, zaczęła się prywatna inicjatywa, więcej zaczęło od nas zależeć i mieliśmy większy wpływ na los, ale dalej miało się wrażenie, że ten „przyczajony czerwony tygrys, ukryty betonowy smok" jeszcze jest w krzakach tuż obok nas.

Gdybyś nie dostał Wiktora, czułbyś się rozczarowany?

Pewnie tak, choć absolutnie nie miałoby to związku z osobami, które ewentualnie by mnie pokonały.

Nie myślę o ludziach: „O kurde, ten dostał. Matko Boska, a za co?". Nie ma co ukrywać, gdzieś tam czułem, że prawdopodobnie pracowałem na tyle fajnie, że ten żeliwny odlew stanie u mnie w domu. Ale bez Wiktora też czułem się dopieszczony i przez widzów, i przez stację.

Co zrobiłeś ze swoim Wiktorem?

Stoi w domu. Joanna Szczepkowska śmiała się, że Wiktor jej pomaga zablokować okno, jak wiatr wieje... Nie rozumiem postawy, że odbiera się nagrodę i jednocześnie mówi, że ona nie robi wrażenia. Myślę, że na każdym ona w pewnym momencie robi wrażenie. To jest, cholera, miłe. No i, powtarzam, dla mnie to taka spóźniona matura. Rekompensata: „Doktorze Wilczur, wracamy ci pamięć". Nawet zdążyli mnie odznaczyć za życia, a nie pośmiertnie.

Na scenie, ze statuetką w ręku, byłeś wzruszony.

Moi znajomi, którzy oglądali rozdanie Wiktorów, stwierdzili, że to, co powiedziałem, w ogóle nie było dowcipne. Ludzie zawsze spodziewają się po mnie wygłupów, więc moje pojawienie się na estradzie za każdym razem ma być show. Byłem wzruszony, a jak jest wzruszenie, to nie ma show.

Kurczę, nie spodziewałem się, że Alicja Resich-Modlińska powie o mnie tak miło i sympatycznie. Kiedy wychodziłem odbierać Wiktora – a w końcu nie była to gratyfikacja z nieba, że oto zyskuję odpuszczenie grzechów i życie wieczne – autentycznie pomyślałem o moim dziadku. Że zmarł i nie doczekał momentu, w którym wnusia mógłby sobie włączyć i powiedzieć kolegom: „W radiu to kiedyś słuchałem Londynu, a mój wnusio teraz w radiu zapowiada piosenki".

Pomyślałem o moim poloniście, pomyślałem o Andrzeju Woyciechowskim, który pierwszy dał mi pracę, twierdząc: „Nie wiem, o co mu chodzi, ale instynktownie czuję, że to jest w porządku". I autentycznie byłem wzruszony. I jeszcze pomyślałem o tych stresach mojej mamy, o tych zadymach w szkole, o tych wizytach u dyrektorki, o okrzyku mojej wychowawczyni: „Majewski, nie rokujesz!". O tych wszystkich sytuacjach, kiedy czułem, że będzie słabo z moim życiem, że moja mama ma ze mną nielekko. Pomyślałem też o tym, że jak ją znam, to przed telewizorem płacze.

Płakała?

Pewnie.

Nie wiem, jak to zrobił Piotrek Bałtroczyk, który wyszedł i podziękował dowcipnie, z dystansem. Moja żona widziała, że byłem wzruszony, bo od razu mi to powiedziała, a wcześniej przesłała mi ręką pocałunek „ku pokrzepieniu".

Ktoś powie, że Wiktory to nie Oscary, ale tam siedziało wielu ludzi, których szanuję i lubię. I wielu szanowanych przeze mnie dostało wcześniej tę nagrodę – dostał Mann, dostał Materna. Piotrek Bałtroczyk, który – uważam – jest super. Dla mnie odebranie Wiktora było bardzo prywatną sytuacją, prywatną chwilą.

I co z Tobą dalej?

Chciałbym się realizować i mieć radochę. Taką związaną z każdym dniem mojej pracy. Z tym, że coś fajnie poprowadzę na przykład albo będę mógł coś gdzieś napisać i wyda mi się to dowcipne.

Mam ewidentne dowody akceptacji ze strony widzów i słuchaczy. Często myślę: „Jeżeli nawet nie zyskam uznania w oczach ludzi, którzy podejmują decyzje, to wiem przecież, że ludzie zadawali sobie trud, by przyjść dla mnie do programu, albo teraz na ulicy wyrażają uznanie". To zawsze była najfajniejsza rzecz.

Pewnie można powiedzieć, że podejrzany jest ktoś, kogo wszyscy lubią. Rozmawiałem nawet o tym z Kubą Wojewódzkim. On mi trochę zazdrościł, mówił: „Ty nie masz problemu – ciebie ludzie lubią". Ja mu na to, że odnoszę wrażenie, że umiejętnie i z rozmysłem podsyca swój wizerunek człowieka, którego „kochamy nienawidzić". Łączy nas jednak to, że obaj wierzymy, że nawet śmiejąc się i naigrawając, można robić to tak, by greps był „uzasadniony artystycznie". Jeżeli żart będzie naprawdę dobry, choćby lekko kąśliwy, nikt, włączając bohatera dowcipu, nie obrazi się. Ludzie żart docenią, tak jak docenia się dobry obraz.

Jak myślisz, skąd między Tobą i Wojewódzkim ta różnica estradowego image'u?

Nie umiem odgrywać ani supersympatycznego, ani superzłego. Mój image nie polega na odgrywaniu, a raczej na pokazywaniu tego, jaki jestem. Być może ludzie mnie akceptują nawet wściekłego, bo mówią: „O, rzeczywiście się wkurzył", a gdy jestem wesoły: „On naprawdę się śmieje". Bo ja naprawdę się śmieję. Sam muszę zacząć się bawić, by bawić ludzi. Gdy spotykam gościa w programie i coś mnie ubawi, potrafię trzy minuty śmiać się realnie, a nie na tej zasadzie, że ktoś mi mówi z reżyserki: „Szymon – śmiech".

Taka szczerość zawsze działa na plus?

Nie zawsze. Często spotykałem się z zarzutami, gdy w moim programie spontanicznie pozdrawiałem żonę. A pozdrawiałem ją regularnie, mówiłem: „Madziu, hej, tu Szymon". Z tego powodu zaproszono mnie nawet na rozmowę do porannego programu telewizyjnego w konkurencyjnej stacji. Siedział pan psycholog i parę innych osób. Dyskutowaliśmy, dlaczego w naszym kraju ludzie rzadko ujawniają uczucia, i o tym, że jestem przykładem człowieka, który na odległość nie wstydzi się powiedzieć: „Kocham tę osobę".

Psycholog wsiadł na mnie, jedna pani, ktoś tam jeszcze, że po prostu tak się nie powinno robić. Że należy pokazywać miłość czynami, a mniej o niej mówić. Wtedy nie zrozumiałem i do dziś nie rozumiem, dlaczego nie mogę o tym mówić – o pozytywnym uczuciu. Wszyscy, którzy nienawidzą, cały czas o tym mówią. Politycy mówią, że nienawidzą kogoś tam, wykreśliliby go albo na przykład grzebią mu w życiorysie. Bez obaw przekazuje się negatywne emocje, dlaczego nie mogę przekazywać emocji pozytywnych?

Czy to tak fajnie, gdy ludzie przez 30 lat są ze sobą i dopiero na łożu śmierci jedna osoba mówi drugiej: „Słuchaj, chcę ci powiedzieć, że cię oprócz tego wszystkiego jeszcze kochałem". Oczywiście czynami się to pokazuje, ale czy tylko nimi? Ale ludziom te wyznania się nie podobają. Sąsiadka mówi do sąsiadki: „Słuchaj, powiedz mu, jak go znasz, niech on już tyle o tej swojej żonie nie opowiada, bo to jest żenujące".

Słyszałem komentarze: „To jest program, to ogląda parę milionów ludzi, nie powinieneś informować o prywatnych uczuciach". **Niektórzy twierdzą, że wykorzystuję czas antenowy, którego nie wykupiłem, na mówienie o tym, że kocham moją żonę.** I pytam, czemu przeszkadza nam coś takiego, a chętnie i często słuchamy piosenek o całkiem fikcyjnej miłości. A jak ktoś widzi, że inny przekazuje realne uczucie – ma z tym problem.

Zastanawiam się, czy to nie uruchamia kolejnego kompleksu, bo jest wielu facetów, którzy nigdy tego nie powiedzą. A przecież skoro jesteśmy w stanie okazywać uczucie, dając dziewczynie prezenty, kupując sukienkę, trzymając ją za rękę w szpitalu, kiedy rodzi, to jeżeli mamy język – czemu parę razy w ciągu tygodnia nie możemy powiedzieć: „Słuchaj, wyglądasz super, jesteś piękna, kocham cię, jesteś fajna – albo – wkurzasz mnie, bo coś tam"...

Mam wrażenie, że my nie mamy czasu na to, żeby się nie doinformowywać. A w polskiej naturze leży nieinformowanie o uczuciach. Strach powiedzieć, że jest dobrze, strach powiedzieć, że jest źle. Ale częściej mówimy, że jest źle, bo jak jest dobrze, to boimy się, żeby nie zapeszyć albo że inni będą nam zazdrościć.

Naprawdę, strzeżmy się milczków. Przez nich zdarzają się historie, jak ta z moją znajomą. Pojechała na spotkanie dawnej klasy. Teraz ci ludzie mają koło czterdziestki. Tańczy na klasowym zjeździe i nagle facet, który wypił dwa, trzy kieliszki, mówi do niej: „Czy ty wiesz, że kochałem cię tyle lat, kochałem cię siedem, osiem lat, jeszcze długo po liceum". Dziewczyna zrobiła „taaakie oczy", bo ona też była w nim bardzo zakochana. Oboje są teraz w innych związkach i wszystko jest OK, ale zastanawiam się, że gdyby to sobie wcześniej powiedzieli, wtedy, w liceum, to może mieliby szansę przeżycia czegoś fantastycznego. Milcząc, coś stracili.

Żona musi być zadowolona, że „tak łatwo werbalizujesz".

Zawsze jestem nastawiony, żeby zastanowić się, co w danym momencie myśli moja żona. Czasami widzę jakiś jej nastrój. Magda nie informuje mnie o pewnych rzeczach, ale nauczyłem się, wyczuwam... Widzę, że jest napięta, i domyślam się, że to dlatego, że jutro ma spotkanie, które dotyczy czegoś ważnego dla niej zawodowo... bardzo by mi ułatwiło, gdyby ona mówiła: „Jestem zła, bo"... Ja mówię wprost: „Kurde, Magda, czemu dzisiaj nie wyszłaś z psem, myślałem, że wyjdziesz, wróciłem późno, Luśka prawie się na podłogę zlała".

Ludzie marnotrawią czas na zapodawanie sobie życiowych rebusów i łamigłówek, których rozwiązanie zajmuje lata i zabiera czas na „enjoy", bycie ze sobą i kochanie się. **Szybsze poinformowanie, co nam nie pasuje w partnerze, może spowodować to, że szybciej coś się uda zmienić, a rzucanie kodów zajmuje lata.** Enigmę rozszyfrowywał cały sztab, a ludzie sobie takie rzeczy zapodają w stosunku 1:1.

Co będzie, jeśli powiesz, a ta druga osoba i tak się nie zmienia?

Wtedy, jak stwierdził nasz były premier Miller, „nie będę się rozwodził z powodu sukienki" – akurat ten jego greps mi się podobał. Miałem kiedyś rano z Magdą drobne nieporozumienie, schodzę potem do piwnicy i myślę: „No, Boże kochany, ona taka po prostu jest. No tak, zrobiła dokładnie tak, jak wiedziałem, że ona zrobi, no i oczywiście jestem wkurzony". Opadły mi ręce: „No, po prostu to jest ona i już". Mam wrażenie, że moja żona też musiała wziąć mnie w pakiecie, zaakceptować szereg moich cech, które są prawdopodobnie totalnie nie do wytrzymania.

Moja Madzia. Matka, żona i kochanka – wystarczy spojrzeć!

Na przykład?

Moją ogólną ekspresję. Życie ze mną to życie „z wulkanem w łóżku" i wcale nie mówię o życiu seksualnym, ale o życiu z kimś o bardzo dużej energii. Mam tysiąc pomy-

Zakochani na tle PRL-u.

słów na minutę. Jakąś nadpobudliwość. Nie lubię się nudzić, więc ciągle szukam, co by tu zrobić, żeby było inaczej.

Gdy wykonuję prostą czynność pisania na komputerze, którą muszę niemal codziennie przez dwie godziny kontynuować, to staram się przynajmniej zmienić miejsce siedzenia. Idę z laptopem na jeden balkon, na drugi, to znowu na kanapę, to na górę, to na dół. To w kuchni usiądę – o, inny anturage, tu świeci lampa, tam nie – jest fajniej. Inne emocje to we mnie wyzwala, inne mam pomysły.

W jednym miejscu świetnie mi się pracuje przez tydzień, opatrzy mi się, idę w inne. Straszne... Wyobrażam sobie, że gdybym na przykład musiał przebywać w celi, pewnie bym kulturystą cholernym został.

Nigdy się z żoną nie kłócicie, tak że wióry lecą?

Jesteśmy ze sobą długo. Jako małżeństwo – 14 lat, ale długo byliśmy ze sobą wcześniej, a potem nie byliśmy przez jakiś czas. O co my się jeszcze mamy kłócić?

Bardzo ciepło wypowiadasz się o rodzinie. Chyba jest dla Ciebie źródłem życiowej satysfakcji.

Fajnie jest widzieć rozwój dzieci, to, jak moja córka dorośleje i występuje w szkolnym przedstawieniu *Alicja w krainie czarów*. Fajnie wzruszać się, kiedy jej to wychodzi i kiedy widać, jak inteligentnie łapie niektóre sytuacje.

Jakie?

Zośka ma 14 lat i zaczyna ją śmieszyć to, co śmieszy mnie. Oglądała ze swoją klasą *Misia* Barei, myślałem, że jeszcze nie jest na tym poziomie abstrakcji, że to film poza jej zasięgiem – a ona mówi do mnie cytatem: „Oczko się urwało. – Komu? – Temu misiu". I to ją śmieszy! A nie tylko *Maska* czy *Ace Ventura: Psi detektyw* z Jimem Carreyem, który ewidentnie jest śmieszny, bo robi głupie miny.

A Twój syn – nie chcesz w nim czasem poprawić tego, czego sam nie osiągnąłeś?

Z synem mamy sytuację darcia kotów. On próbuje wyjść z cienia ojca. Mam wrażenie, że może być dla niego problemem, że moja osobowość jest tak ekspansywna. Może mu przez to życie utrudniam, ale doskonale wie, że doceniam każdy jego sukces.

I przeżywam lekcje pokory, kiedy syn łoi mi tyłek w szachy. A w szachach jest drugi w szkole w swojej kategorii wiekowej. Do dziś pamiętam, jak cztery lata temu siadałem z nim do szachów i wygrywałem, czytając jednym okiem gazetę. Aż tu nagle przegrałem.

Stwierdziłem, że przestanę czytać, kiedy z nim gram. I oto, kiedy się skoncentrowałem, mimo to przegrałem. Zrozumiałem, że

Zośka i Antek po mnie odziedziczyli charakter.

on zyskał nade mną totalną przewagę w szachach i że jest bystry.

Cieszył się?

Tak. Rozgłaszał to, bo zwycięstwo nad ojcem jest dla niego potrójnym, poczwórnym zwycięstwem. To niesamowite. Dla mnie z kolei zwycięstwem było, kiedy go namówiłem do startu w turnieju szachowym i gdy on zdobył drugie miejsce, mimo że nigdzie na żadne szachy nie chodził. On się sam nauczył, po lekcjach, w szkolnej świetlicy.

Cieszę się też, gdy mój syn potrafi znaleźć język w gębie i niesamowicie komuś odpalić. Rzucić greps, którego bym na jego miejscu nie wymyślił. Siedział kiedyś w ogródku na wakacjach – miał 10 lat i długie włosy. Nagle facet podlewający kwiatki mówi do mojego syna: „Chłopaku, weź zetnij te włosy, bo wyglądasz jak baba". A mój syn: „A pan jak wygląda z tą konewką, podlewając kwiatki?".

Co zrobisz, gdy dzieci przestaną Cię słuchać?

Już dziś mam podstawowy problem, bo jestem ojcem-kumplem. Najpierw z ojca-kumpla robi się konia, na którego grzbiecie można pojeździć. Potem rozmawia się z nim jak równy z równym. I taki ojciec ma problem, kiedy nagle musi wymagać: „OK, jest godzina szósta, stary, siadaj do lekcji".

„Eeee, co mi tam będziesz mówił, jakie lekcje?" Tu w sukurs przychodzi mi żona, która potrafi głos tak przesterować... oni są zaprogramowani na ten jej głos – słuchają i realizują.

Dałeś kiedyś któremuś z dzieci klapsa?

Klapsa zdarzyło mi się parę razy dać, gdy działy się rzeczy kryminalne. Na przykład podczas konfliktu między dziećmi jedno walnęło drzwiami tak, że wyłamało je z zawiasów, albo kiedy Antek rzucił kamieniem i mógł komuś zrobić krzywdę. Ten klaps to był sygnał, że sprawy poszły za daleko. Oboje są ekspresyjni, ostrzy w wyrażaniu uczuć – niejednokrotnie się podrapali, skopali. Zdarzało mi się, że miałem ochotę polać ich zimną wodą.

Są o siebie zazdrośni?

Bywają, a jednocześnie bardzo siebie bronią. Kiedy Antkowi nos się rozwalił, krew leciała, Zośka strasznie się rozpłakała. Generalnie myślę, że jesteśmy dobrymi rodzicami. Mamy z nimi kontakt, możemy pogadać, choć z Antkiem lepiej dogaduje się moja żona, a ja – z Zosią. To chyba jest OK, uzupełniamy się.

Boisz się, że Twoje dzieci mogą wyrosnąć na materialistów, wychowując się w dobrobycie?

Proporcje teraz wszędzie się zaburzyły. Gdy sobie przypomnę, z jaką częstotliwością mogłem dostać zabawkę...

Staram się je informować, jaka jest rzeczywistość. Gdy mój syn mówi: „Tato, przecież to kosztuje tylko 200 złotych", robię mu wykład: „Antek, 200 złotych – a babcia ma emerytury 800 złotych po 30 latach pracy w służbie zdrowia. Antek – 200 złotych, czy wiesz, że są w Polsce rejony, gdzie ludzie za 500 złotych muszą przeżyć cały miesiąc?".

Trafia do niego?

Mam wrażenie, że czasem takie rodzicielskie klepanie, taka mantra: „jak trzymasz ręce przy stole?; nie możesz jeść, siedząc po turecku; jak wchodzisz, mów dzień dobry", jednak wbrew pozorom działa. Na początku myślisz: „Jezu, dlaczego on nie robi tego od razu, przecież ja mu to wczoraj powiedziałem?". Ale ten ich twardy dysk zbiera i nagle wchodzisz z kimś, twoja Zośka stoi obok i mówi: „Dzień dobry". Ty patrzysz i myślisz: „Jezu, od dwóch lat jej to powtarzam". I masz świadomość odrobionej lekcji.

Ja też wiele rzeczy wiem, nie wiadomo właściwie skąd – pewnie dziadek cierpliwie mnie uczył na przykład tego, jak trzymać finkę, żeby się nie skaleczyć. „Jak kroisz, to nie w swoją stronę" i tym podobne. Dziadek klepał, klepał i ja to dziś wiem. Albo to, jakie są grzyby. Ale tu dziadka wspomagał podręcznik Orłosia. Dziadek chodził ze mną do lasu i mówił, jakie są grzyby, jaki przeleciał ptak albo jakie to drzewo.

Fajnie by było, gdybym był dla dzieci takim autorytetem, jakim dla mnie stał się dziadek. Podejrzewam, że w jakimś stopniu jestem dla nich autorytetem. A w jakimś stopniu mają dziadka zbiorczego, bo w sumie mają czterech dziadków – dwóch z odzysku i dwóch realnych. No, i mają nas razem.

W ogóle mam wrażenie, że najfajniejsze momenty w naszej rodzinie są wtedy, kiedy Magda pracuje: rysuje projekt mieszkania, przegląda foldery, magazyny, i obok siedzi Zosia – wybierają razem kolory, tapety. Ja coś sobie wtedy czytam, szukam w Internecie, a przy mnie jest Antek. Czuję się tak, jak wtedy, kiedy zamiast w szkole byłem z dziadkiem i on czytał historyczne książki, przy okazji coś mi opowiadając. Więcej się wtedy uczyłem, niż gdybym siedział w tym samym czasie w ławce.

Życie w naszym domu naprawdę tak wygląda i to... rodzi dramaty. Moja córka poje-

chała na letni obóz i o godzinie siedemnastej wszyscy oglądali *M jak miłość*, a moje dziecko weszło i zapytało: „Dlaczego wy oglądacie *M jak miłość*, przecież to są bzdury, lepiej iść do lasu". Dzieci tego nie zrozumiały. Wyprosiły ją i sama chodziła zapłakana po lesie, bo się z nimi pokłóciła. Dla mnie to straszne, że dzieci, mając obok piękny, cudowny las, siedziały w domu i oglądały *M jak miłość*, poświęcając czas na coś, co jest całkowitą stratą czasu.

Nie lubisz seriali?

Nie mogę zrozumieć, jak takim powodzeniem może się cieszyć coś, co jest totalnym zaprzeczeniem prawdziwego życia. Tak ludzie nie rozmawiają, jak w tych serialach. Gra w nich polega na wzdychaniu:

„Ach, co się stało?"
„Ach, nie wiesz, że Karol spadł z drabiny?"
„Ach, ach, ach, co teraz?"
„No co, rehabilitacja".
„Ach, ach, ach, ach, Boże".

Proszę mi powiedzieć, gdzie w naszym kraju tak się mówi. Ludzie nie dostrzegają, że życie jest znacznie ciekawsze niż te seriale. **Dla mnie ciekawe są dialogi na ulicy, a te w telewizji – to udawanie. Kłamstwo.** Dobrze wiem, że ludzie potrzebują iluzji. Dziesięć milionów ludzi potrafi oglądać *M jak miłość* – tylu, ilu oglądało skoki Małysza czy pogrzeb Papieża. To niebywałe. Tylu ludzi potrzebuje uciec w totalną iluzję.

Seriale specjalnie są tak ustawione, że można kolejne, na różnych stacjach, oglądać bez przerwy od rana do wieczora. Mnie to przeraża, nie kumam tego, jak to się dzieje. I zastanawiam się, czemu we Francji ludziom nie żal spędzać czasu po prostu ze sobą, a nie w domach z tymi serialami. Tam staruszki spotykają się rano na śniadaniu w knajpce, zamawiają przy barze, bo taniej, ale są razem, a nie przed telewizorami.

Może to szkoła uczy, że autorytet z zewnątrz wie lepiej od nas, co robić i jak żyć. A potem tym autorytetem zostaje telewizyjna postać.

W szkole moich dzieci rzuciłem pomysł wycieczki do huty Zawiercie, była taka możliwość, bo nasz znajomy był w tej hucie szefem. Wielu rodziców zaprotestowało: „Po co one będą jechały do huty, już lepiej niech siedzą w szkole i się uczą". Myślę, że wycieczka do huty rozwija wyobraźnię choćby na kolory, plastykę, że będzie pamiętana i będzie źródłem inspiracji dla dzieci dosłownie przez lata. I zastąpi dwa tygodnie nauki w szkole – jestem przekonany.

Gdy idziesz do szkoły dzieci, nadal czujesz stres?

Nie, ale jestem rodzicem, który na zebraniach wstaje i mówi, że dzieciom powinno się jak najmniej zadawać, żeby miały więcej czasu dla siebie. Patrzą na mnie jak na wariata. Kiedyś, w drugiej klasie szkoły podstawowej, wstał przy mnie ojciec i zapytał: „Na jakim poziomie jest język angielski w tej szkole, skoro przyjechał niedawno mój znajomy, szef koncernu ze Stanów. Gościliśmy go przez tydzień i on przy stole, przy śniadaniu, mówi coś po angielsku do mojego syna, a mój syn ani me, ani be". Myślę sobie: „Stary, kurza twarz, masz problem, a może jeszcze chciałbyś, żeby ten mały o Dow Jonesie z nim porozmawiał".

Twoje dzieci lubią szkołę?

Zośka teraz chodzi do szkoły, którą lubi. Ale – nie, mają z tym problem. Może po mnie odziedziczyły ADHD, mają kłopot z koncentracją, nudzą się, gdy nic się nie dzieje.

To też mogą mieć kłopoty.

Głęboko wierzę, że Polska się zmienia, i oczywiście są tacy zawodnicy, którzy na

pewno zostaną szefami korporacji, białymi kołnierzykami, ale będzie coraz więcej miejsca dla tych, którzy po prostu chcą robić w życiu coś fajnego. Mogą być przy tym animatorami w domu kultury… asystentem reżysera – taki zawód też istnieje.

Za dużo rodziców inwestuje w dzieci niczym w akcje. Zainwestowałem, wydałem na lekcje – musi mi się zwrócić. I nawet Onassis myśli, że jego syn ma zostać mega-Onassisem. Nie mam poczucia, że dzieci są do pomnażania pieniędzy czy sławy. Może się tak zdarzyć, ale nie musi.

W swojej najbliższej życiowej przestrzeni masz potrzebę działania, organizowania życia?

Z racji działalności w harcerstwie miewam takie momenty. Jestem szefem mojej wspólnoty mieszkaniowej. Latem organizuję system dyżurów do podlewania trawnika i wysyłam SMS-y zapominalskim.

I lubię mediować. Mamy na przykład sąsiada, który nie do końca pogodził się z istnieniem naszego kilkurodzinnego domu, bo kiedyś mieszkał na Młocinach praktycznie sam, a teraz ludzie wokół się pobudowali. Wokół niego ruch się zrobił, życie. I nie jest w stanie tego wytrzymać.

Jako jedyny z osiedla z tym gościem rozmawiam. Po kolejnej awanturze poszedłem do niego i próbowałem zrozumieć, o co mu chodzi. Okazało się, że głównie o to, że psy załatwiają się koło jego ogródka, choć sam ma psy i one robią to samo koło naszego. Doprowadziłem do rozejmu. Jedyny z naszego domu mam z nim wywieszone białe flagi i po prostu rozmawiamy ze sobą. Regularnie muszę wysłuchiwać jego żalów pod adresem moich sąsiadów na zasadzie: „szybciej przejechał samochodem, psa wypasa obok albo spojrzy krzywym okiem”. **Wierzę w siłę dialogu, w to, że można przybić piątkę.**

Podchodzę go żartem, spojrzeniem głęboko w oczy, klepię po ramieniu, używam ciepłych słów.

Jakich?

„No, ale wie pan, sąsiedzie, przecież razem mieszkamy pod tym cudownym niebem, oddychamy tym samym leśnym powietrzem, mamy te same wiewiórki. Musimy się dogadać, siądźmy przy stoliku rokowań. Porozmawiajmy jak Polak z Polakiem”. To „porozmawiajmy” to moje życiowe credo.

Masz wielu przyjaciół?

Z przyjaciółmi mam dziwnie. Może, jak napisał Wojciech Eichelberger, faceci z niepełnych rodzin mają dużą nieufność do zawierania przyjaźni. Mam znajomych, przyjaciół nie za wielu. Właściwie mogę powiedzieć, że się przyjaźnię z moją żoną.

Próbowałem ten brak przyjaciół tłumaczyć moją życiową drogą, ale mam wrażenie, że defekt jest też we mnie. Jestem specyficznie nieufny. Nie mam tak, że bez niepokoju mógłbym powiedzieć: „OK, jak pójdę do więzienia, to ten za mnie wpłaci kaucję”.

A Ty wobec innych?

Jestem chętny do pomocy. Niektóre imprezy prowadzę całkowicie charytatywnie, ale o tym nie chcę opowiadać. Poza tym twierdzę, że wspólna praca przyjaciół, na przykład wspólne bycie w mediach, nie służy przyjaźni. Zawsze zaczynają się dysproporcje. Ktoś dostanie awans, ktoś będzie lepszy, ktoś gorszy i pojawi się zadra.

A kumple z liceum, o których tyle opowiadasz? Przyjaźń z nimi przetrwała?

To potoczyło się dziwnie. To historie trochę bolesne… Przez długi czas nie mogłem znaleźć swojego zajęcia, a potem tak nagle to eksplodowało, więc wiem, że znajomi mają żale, że zniknąłem z ich życia. Ale też najwcześniej z nich miałem rodzinę. Nie mogłem za nimi podążać, ponieważ miałem żonę, miałem dziecko i tym się zająłem. Nie olałem tego, tylko byłem z bliskimi w domu, więc siłą rzeczy punkt ciężkości się przeniósł. Fakt, moje życie w pracy jest dość barwne, więc trochę się izoluję na linii rodziny.

I popularność to dziwna rzecz. Nie powiesz komuś: „Dzień dobry", bo go nie dojrzysz – o ile jesteś znanym człowiekiem, dopiszą ci to „na nie", na zasadzie, że nie zauważasz. Powiesz komuś za szybko „Dzień dobry" – uznają, że próbujesz się przypodobać. Wszystko jest zwielokrotnione, gdy jesteś znaną twarzą, bo każdy twój gest jest zwyczajnie bardziej widoczny. Potkniesz się – uznają, że jesteś narąbany albo ostatni pierdoła, co przewraca się o własne obuwie.

Podobno wszyscy poobrażali się i za to, że im za mało podziękowałeś, gdy odbierałeś Wiktora.

Jeżeli jeszcze kiedykolwiek dostanę podobną nagrodę, pójdę tropem Krystyny Feldmanowej. Krystyna Feldman wytyczyła nowy standard, mówiąc jedynie „Dziękuję bardzo", gdy odbierała statuetkę na Festiwalu Filmowym w Gdyni. Myślę, że zrobiła to z rozmysłem. „Dziękuję bardzo" trafia do wszystkich, a im bardziej zaczynasz wyszczególniać, tym bardziej okazuje się, że nie cieszą się ci, którzy zostali wymienieni.

Czemu?

Bo przede wszystkim przestają cieszyć się ci, którzy wymienieni nie zostali. Podziękujesz matce, okazuje się, że ojciec ma pretensje, że nie podziękowałeś jemu. Kiedy przywołujesz patrona Radia Zet, Andrzeja Woyciechowskiego, okazuje się, że on to radio oczywiście wymyślił, ale generalnie nie wymieniłeś nazwy radia, w którym przez lata pracowałeś. Jeżeli podziękujesz producentowi ze stacji telewizyjnej, to podziękowań spodziewa się też szef tejże stacji.

Jeżeli dziękujesz za to, że dostałeś służbową komórkę, okazuje się, że powinieneś podziękować za stworzenie możliwości pracy.

I nagle się okazuje, że im dłużej dziękujesz, im bardziej wydłużasz listę, tym ona powinna być jeszcze dłuższa, bo natychmiast pojawia się antylista.

Na tej zasadzie, gdy opowiadam o profesorze Gugulskim, powinienem wymienić i innych nauczycieli w moim liceum, którzy byli w porządku. Jednak wymieniam jego, ponieważ on był najbardziej w porządku. Mogę też dziękować w odcinkach – jeżeli za pięć lat dostanę Wiktora, to wyjdę i powiem, że kontynuując to, co mówiłem pięć lat temu, chciałbym podziękować tym, których nie wymieniłem pięć lat temu...

A co źle działa na Ciebie w życiu prywatnym?

Ewidentne chamstwo i wchodzenie na czyjeś terytorium. Ładowanie się z butami w czyjś spokój i prywatność. Wczoraj widziałem, czy raczej słyszałem, jak pod sklepem ogolony koleś gadał przez komórkę i cały czas leciało: „Kurwa, jesteś tam? Kuuurwa, wyjdź, bo ja, kuuurwa, czekam na ciebie". Osłabia mnie, że taki show muszę do końca obejrzeć.

Omijam duże skupiska ludzi. Nie akceptuję hipermarketów, jeżeli moja żona ma tam coś do załatwienia, nie bywam w tych miejscach, tylko podjeżdżam, czekam na parkingu i wyjeżdżam. Nienawidzę tego, po prostu nienawidzę!

Kupuję wszystko, co mi potrzebne, w małych osiedlowych sklepach. W molochach wiem, że za każdym razem, gdy wejdę, zobaczę sytuację, która mnie osłabi: na przykład to, że facet gniecie łapami bułki. I wtedy muszę zwrócić mu uwagę: „Proszę pana, czy musi pan gnieść rękoma pieczywo?". On oczywiście powie: „Odczep się – albo – Odpierdol się". Mam wrażenie, że przechodzimy moment nasycenia się tym, że tylko w hipermarkecie możemy się poczuć panami. Zwyczajnie nie mamy innych przewag, a w hipermarkecie od momentu wejścia za bramkę teoretycznie decydujemy o wyborze artykułów. I generalnie wszyscy pracują dla nas, więc możemy odreagować tygodniową frustrację szefem idiotą i pokazać swoją władzę. Mamy władzę nad bułkami, możemy podmienić jajka, wypić jogurt i nie zapłacić – przechytrzyliśmy Wielkiego Brata. Ja te zachowania zauważam, a jak zauważam, to muszę o tym powiedzieć ich bohaterom, więc wolę sobie tego oszczędzić.

Sądzisz, że jesteśmy społeczeństwem ze skłonnością do „naciągactwa"?

Bywamy. Podobnie, jak społeczeństwem ludzi kulturalnych inaczej. Zauważyłaś, jak często w naszym kraju zatrzymuje się samochód i facet sika metr od drogi, mimo że inni koło niego przejeżdżają – rodziny, kobiety z dziećmi przejeżdżają, a on wystawi wacka i leje. Podziwiam, jak w głowie może powstać taki pomysł.

Całe moje wakacje są zwykle takim manewrem, żeby ominąć tych, którzy inaczej niż ja pojmują obecność na naszej planecie. To się udaje na Suwalszczyźnie. Pusto, mało ludzi, ewidentnie jeżdżą tam wybrańcy, którym baza grillowo-piwna w ogóle nie jest potrzebna.

Mamy tam ulubione miejsca i sposoby spędzania czasu – na przykład spływ Czarną Hańczą. Odkryłem ten region, bo kiedyś podjechaliśmy do pani, która ma galerię w Przełomie tuż koło jeziora Hańcza. Pusto totalnie, genialny krajobraz, można jechać na rowerze i nikogo nie spotkać – dla mnie idealne miejsce.

Dla Twojej żony też?

Magda nie za bardzo lubi klimaty: „Hej, ho, przygodo, ciągnij nas w las". Nie jest amatorką rowerów, chociaż na przykład na kajaki popłynęła z nami. Ale szkoła przetrwania i namioty to nie dla niej.

Wakacje nad jeziorem Serwy.

Na szczęście rozumie, że mam tyle zamieszania w robocie, że muszę się odizolować. Gdy moja mama mi donosiła, co się działo we Władysławowie (była tam z wnukiem), to zszedłbym w czymś takim.

Dla mnie to masakra. Nie lubię tłumu. Ubolewam, że siedziba producenta mojego programu jest w jednej ze znanych galerii.

Czyli zawsze, kiedy idziesz do pracy, musisz być zestresowany?

Czasem idę naokoło – przez parkingi. Jeden ochroniarz mnie puszcza, a drugi nie. Już tak mam, że robię wszystko trochę odwrotnie niż inni. Widać to na przykładzie magicznego święta, które jest w Polsce bardzo ważne, a mnie od dzieciństwa napawało lękiem. Chodzi o Święto Zmarłych, Zaduszki.

Wszyscy akurat tego dnia musimy pomyśleć o zmarłych, to piękne. Ach, gdyby to się wiązało tylko z tym, że idziemy i myślimy, byłoby OK. Natomiast to jest zbiorowa przepychanka i amok: autobusy, linie cmentarne, gdzie wsiąść? Tu mniej, tam kosztuje więcej, chryzantemy się sypią, ktoś ukradł świeczki, gdzie nasze grabki? Tamten sypie pod nasz grób – dlaczego on sypie? „Won stąd, chamie, nie syp pod nasz grób". Tamta pani się krzywo patrzy, ten się źle przeżegnał, ten przeszedł mi po grobie. Ten wylał konewkę, tamten ukradł konewkę...

Opowiem sytuację z cmentarza, która mi się przydarzyła w zeszłym roku. W mojej okolicy są trzy cmentarze, więc pierwszego listopada robi się tu zamknięty rewir. Drogi zablokowane, policjanci. Dlatego pojechałem na cmentarz na rowerze. Wchodzę na Wawrzyszew, zsiadam, prowadzę rower, idę na grób dziadka. Mijam dwie panie, jedna z nich mówi: „Jak pan śmie? Z rowerem na cmentarz – przecież to obraza tego miejsca". Patrzę na nią i odpowiadam: „A jak pani sądzi, ilu z tych ludzi, którzy tutaj leżą, jeździło na rowerach?".

Do dziś nie wiem, czemu z rowerem nie można wejść na cmentarz. Może dlatego, że te panie były spocone, wymęczone, truchtem leciały na cmentarz. I musiały mi sprzedać swoją paranoję.

A może na takie wydarzenia i okazje zwyczajnie patrzę po swojemu? Nie wczuwam się w podniosły klimat. Jeden z moich piękniejszych epizodów w harcerstwie był związany właśnie z Zaduszkami.

Jako harcerz spędziłem noc na cmentarzu Bródnowskim. Postanowiliśmy w Zaduszki zarobić trochę pieniędzy na zimowisko. Weszliśmy w układ z – jak się później, cholera, okazało – oszustem. Dał nam chryzantemy do sprzedaży. W drużynie nie było chętnych, żeby je sprzedawać, oczywiście oprócz mnie i Jacka Kajaka.

Na cmentarzu Bródnowskim rozbiliśmy dwa wielkie namioty, tuż przy murze. O trzeciej nad ranem była dostawa chryzantem. I spaliśmy w morzu chryzantem, więc można powiedzieć, że przeżyłem swój pogrzeb. Byliśmy odurzeni zapachem, ledwo wstaliśmy. A po przebudzeniu – od razu kłopoty.

Ponieważ były przymrozki, chryzantemy zdążyły do szóstej nad ranem paść. Od siódmej, kiedy zaczęli przychodzić ludzie, myśmy je już sprzedawali. Cenę mieliśmy chorą, „poszły" w dwie godziny. Ale każdy, kto odchodził z naszą chryzantemą, znaczył swój szlak spadającymi płateczkami.

W końcu jakiś facet wziął od nas 200 chryzantem. Zaczął je sprzedawać po południu, kiedy już nikt nie miał chryzantem, za cenę pięciokrotnie wyższą od naszej. I myślę, że on zarobił. Myśmy nie dość, że nie zarobili, to jeszcze ten nasz hurtownik, który po prostu znalazł frajerów, powiedział, że musimy mu drugi raz zapłacić za chryzantemy, bo ma niedopłatę – to była gówno prawda. Skończyło się tak, że odmówił nam transportu i z namiotem 10-osobowym na plecach wracałem na Ochotę.

Nie lubisz pustego obyczaju?

Za każdym razem, kiedy się pojawia nakaz: „Dziś trzeba zrobić to, ponieważ wszyscy mają to robić, bo to jest ten dzień, kiedy wszyscy to robią", niestety, uruchamia się we mnie pytanie: „A dlaczego właśnie to, właśnie dzisiaj?".

Dla mnie to święto też jest ważne, ale na przykład o dziadku myślę bardzo często, wspominam go, oglądam jego zdjęcia, opowiadam o dziadku dzieciom. I myślę, że to jest forma pamięci. Ale nakaz tego jednego dnia...

W Zaduszki mówiłem do mojej mamy: „Mamo, pojadę dwa dni przed albo dwa dni po".

„Ale to święto jest tym świętem, kiedy właśnie to trzeba zrobić".

„Mamo, ale zaraz będzie, że krzywo idę albo mam dziwne spodnie". I zaczynaliśmy dyskutować.

A co z sylwestrem? Uruchamia Ci się ten sam mechanizm?

W sylwestra od rana chodzę po mieszkaniu i mówię do żony z cynicznym uśmiechem: „To dzisiaj jest ten jeden dzień, ta jedna jedyna magiczna noc, którą powinniśmy przetańczyć". Zaczynam coraz bardziej rozumieć mojego znajomego, który po prostu przesypia sylwestra.

Czemu nie można tego traktować jak każdej innej imprezy: „czasem się uda i już". Pęd do tego, że ma być fajnie, musi być super... A jak się uda tylko średnio, to co? Przez cały rok należy mieć depresję?

Co to znaczy, że jesteś pokojowo nastawionym człowiekiem?

Nawet jeśli wchodzę z kimś w konflikt, to dowcipny. Na przykład gdy jadę samochodem i ktoś mnie nie chce wpuścić na pas, a widzę jego minę i sposób zachowania i machania rękoma, to – naśladuję go, robię dokładnie to samo.

Ryzykujesz, że ktoś Cię rozjedzie ze złości.

Dlatego unikam głównych, zatłoczonych dróg. Jadę przez Polskę poboczami i zwiedzam miejscowości. **Jestem obserwatorem, lubię oglądać kolejne regiony, ludzi siedzących pod kapliczkami. Lubię się zatrzymać, zrobić zdjęcie.** Na przykład koło Pruszcza Gdańskiego stoi coś, co się nazywa „Akademia Paznokcia". Sfotografowałem to, ale do dziś nie wiem, czy tam zdają egzaminy z malowania paznokci, pierwszy rok – egzamin z pedicure i tym podobne.

Jak tak sobie jadę, nigdy się nie rozpędzam. Mój samochód jest pełen śmieci. W moim samochodzie można jeść, pies siedzi na przednim siedzeniu, bywa, że jeszcze w marcu wożę materac z wakacji.

A jak zarysujesz lakier, to co sobie w duszy mówisz?

Kurdemol, pierdoło!

W czasie tych Twoich podróży zdarzyło się może coś, co zawsze będziesz pamiętał?

W turystycznej miejscowości pewna pani ruszyła ku mnie zdecydowanym truchtem. Byłem pewien, że poprosi: „Czy mogę sobie zrobić z panem zdjęcie?", a usłyszałem: „Przepraszam, czy może pan zrobić mnie i moim dzieciom zdjęcie, ale tak, żeby było widać fontannę?". Przypominam to sobie, gdy przy goleniu zdarza mi się pomyśleć: „Stary, zostałeś gwiazdą". I pamiętam jeszcze napis na kefirze, który wypatrzyłem w sklepie. Z tego napisu uczyniłem moje życiowe motto.

???

Tam było napisane: „Spożyć przed terminem".

Masz teraz bardzo dobry okres zawodowy, czujesz, że to „szczyt kariery"?

Myślę raczej o tym, że wreszcie mam program autorski. *Mamy Cię* było bardziej „robotą na zlecenie" – po prostu byłem tam prowadzącym, wesołym prowadzącym oczywiście. Ale nie ogarniałem tak zwanej całości, ona działa się gdzieś poza mną. Ktoś gagi przygotowywał, a ja tylko przyjeżdżałem do studia... nawet czasem nie wiedziałem, z jakimi ludźmi kolejne odcinki kręcą. Nie chciałem tego wiedzieć, bobym miał ból,

czy po kimś za ostro nie pojadą, czy nie będzie tak, że zrobią mu przykrość.

W *Szymon Majewski Show* mam zdecydowany wpływ na to, co ostatecznie ludzie oglądają. Każdemu, kto pracuje w radiu czy telewizji, wcześniej czy później pojawi się myśl, żeby zrobić program od początku do końca oparty na swojej osobowości.

Jak to się zaczęło?

Mój holenderski producent i przyjaciel Rinke coraz częściej wspominał, że fajnie by było, gdyby coś takiego powstało, bo to mu pasuje...

W Anglii jest prowadzący, który bardzo Cię przypomina. Nazywa się Jonathan Ross i można go oglądać w piątkowe wieczory w BBC One. Znasz ten program? Wzorowałeś się?

I don't speak English.

Nie bałeś się konieczności wymyślania co tydzień czegoś śmiesznego?

Nie. Od razu wiedziałem, że będę pracować z twórczymi ludźmi – niektórym jeszcze w Radio Zet obiecałem: „Zobaczycie, razem zrobimy niesamowite rzeczy", i oni rzeczywiście super się sprawdzili. Telewizyjną karierę osobiście obiecałem Michałowi Zielińskiemu, który „robi" Leppera, a normalnie jest aktorem dramatycznym i gra w warszawskim Teatrze Powszechnym. Odkryłem dla telewizji Jolkę Wilk, która gra Senyszyn i Beger; cztery, pięć lat temu przepowiedziałem jej sławę. Wspomnę tu przy okazji ciepło Piotrka Kunika, reżysera *Prawych i Sprawiedliwych*. I czuwającą nad nami wszystkimi energię Rinkego. Zwijamy się, gdy czegoś nie rozumie i pyta: „To szmieszne? O cio chodzi, o cio chodzi?".

Wszystkim, z którymi pracuję, chcę teraz podziękować. Ekipa bardzo kolorowa, nawet kierowców mamy fajnych. Choć są frakcje, frakcyjnie zwalczamy pomysły, co dwa dni robi się zadyma, ale nam zależy, żeby to miało swoją jakość.

Prowadzimy razem fabrykę humoru, dlatego słowo „śmiesznie" czasem już budzi u nas agresję.

No tak, zdolna ekipa, wszystko fajnie, ale nadal musisz tydzień w tydzień napisać ileś tam śmiesznych kawałków. Jak w fabryce.

Przecież nie robię tego sam. Teksty do kabaretu pisze Ola Wolf. W radiowych *Spontonach* byłem stuprocentowym autorem tych minutowych odcinków, tu jest tak, że ogarniam całość, ale sam wszystkiego nie „wydaję" z mojej głowy. No, chyba że zaczyn, pomysł, który ktoś inny dopracowuje. Tak jak Marcin Dziedzic, którego też ściągnąłem z „Zetki" i który pisze piosenki. Od lat główkowałem, jak go zaprezentować, pokazać, co umie. Jestem dumny, że ze mną pracuje. W zespole pracuje też Jola Szuber, moja opoka, która najpiękniej na świecie akcentuje słowo „kurwa". W jej wykonaniu to aria.

Istnieje telewizyjna wysoka komisja, której przedstawiacie żarty do akceptacji. W końcu śmiejecie się z polityków?

To działa tak, że jest sześć, osiem osób w naszym sztabie mózgów. Na równorzędnych ze mną pozycjach. Wspomniany Marcin Dziedzic – cichy facet, geniusz – pisze wstępniaki, piosenki, taki „przyczajony tygrys, ukryty smok". Rafał Piekoszewski – kierownik produkcji z ramienia TVN. Ten gość doprowadza mnie do szału, mam ochotę go udusić, bo po prostu stawia mi się. Albo ja jemu muszę się stawiać. Bywa

okrutny, ciągle sobie zapowiadamy, że już kończymy współpracę. On mi zarzuca amatorstwo. Ale idziemy w jednym kierunku. Ma niesamowite wyczucie telewizji, wie doskonale, jak coś przełożyć na obrazek. Dyskutujemy i dyskutujemy o scence z cyklu *Prawi i Sprawiedliwi*, a on od razu konkret – no, to zaprośmy do tej scenki Kazimierza Marcinkiewicza. Ja: „Ale przecież on się w życiu nie zgodzi" – i tu akurat miałem rację (śmiech). To Rafał przełamał w nas to podejście, że polityk się nie powygłupia.

Wygłupiają się?

W naszej scence Ryszard Kalisz zagrał zawodnika sumo, Stefan Niesiołowski płukał sobie gardło i wypluwał do spółki z Andrzejem Olejniczakiem. Stefan Meller wystąpił w *Tajemniczym Don Pedro* – obśmiewał temat lustracji, Gronkiewicz-Waltz była dziewczyną Zorro, którą ja – Zorro – na koniu wiozłem. No, właściwie to tylko ten Marcinkiewicz się nie zgodził. Napisał mi, że nie, że teraz jest zajęty, trwa kampania, on się bije o fotel prezydenta Warszawy, ale że ma poczucie humoru i tu my dwaj jesteśmy bardzo podobni. „Do Pana programu nie przyjdę, ale proszę serdecznie pozdrowić aktora, który mnie parodiuje w *Rozmowach w tłoku*. Boję się, że gdybym przyszedł, ten aktor przeze mnie straciłby pracę". A Hanna się zgodziła – i wygrała wybory, prawda? (śmiech).

Jaką szykowałeś scenkę dla Marcinkiewicza?

Miałem być Zorro, a on miał ze mną konkurować o rękę Hanny Gronkiewicz-Waltz.

Politycy kapryszą w kwestiach scenariusza?

Ryszard Kalisz jako zawodnik sumo miał walczyć z naszym miniaturowym Iwem i miał przegrać. Powiedział, że jest ambitny i zawsze chce wygrywać.

I co?

Wygrał. Zgodziliśmy się: „Dobra, pan wygra". I wygrał tę walkę. Ja prowadziłem zawody, jako Miss Japonii.

Ryszard Kalisz wystąpił w tych tradycyjnych majtaskach?

Nie, co to, to nie. Był w stroju sumo, tyle że galowym. Ale robił te ruchy, wydawał z siebie japońskie okrzyki.

Marcinkiewicz odmówił jako jedyny?

Jeszcze Leszek Miller i Józef Oleksy – mieli być, jako czerwoni, łowieni przeze mnie w roli Czerwonego Kapturka. Latałem po lesie, zbierając muchomory – odmówili, tłumacząc, że to już jednak przegięcie.

Za to jak byłem Świętym Mikołajem i siedziałem pod sejmem, czekając na polityków, żeby złożyć im życzenia, odwiedził mnie Roman Giertych. Dałem mu swoją marynarkę, taką kolorową. On założył. W zamian podarował mi mundurek szkolny, podarował też maturę, powiedział, że mam już zdaną.

Potem przyszedł poseł Wierzejski, który nie chciał usiąść mi na kolanach, ale dał się pogłaskać. Dostał ode mnie plastikowego krasnoludka, bo przegrał w Warszawie z partią Krasnoludków i Gamoni Majora Fydrycha. O, i Kurski przyszedł... ponoć byliśmy blisko tego, że przyjdzie Kaczyński, bo Kurski załatwiał, rozmawiał z nim... Ale w końcu premier się nie zgodził.

Wcześniej z Giertychem dyskutowaliście za pośrednictwem konferencji prasowych.

To długa historia, dlatego zacznę od końca: na święta dostałem od Romana SMS-a z życzeniami. Takie proste: „Wszystkiego dobrego, życzę szczęścia, zdrowia"...

A nie napisał: „Niech nowo narodzony Jezus przyniesie"...

Nie, nic ultrakatolickiego w stylu: „Niech to jajko będzie zaczynem nowego życia w waszej rodzinie".

Ale najpierw go szarpnąłeś...

Kilka miesięcy wcześniej wpadłem na pomysł konferencji prasowej w odpowiedzi na Giertychową amnestię maturalną. Wszyscy podchwycili: „robimy". Wynajęliśmy salę. Kalisz i Smoktunowicz zgodzili się mnie prawnie reprezentować. Choć o tego Kalisza niektórzy mieli pretensje, mocno prawicowy znajomy zadzwonił i powiedział, że się mój dziadek przewraca w grobie!

Przed konferencją przeżyłem traumę, bo musiałem pójść do swojego starego liceum. Zadzwonili z TVN: „Szymon, dawaj ten świstek, że masz maturę niezdaną". Podrapałem się po głowie: „No, nie mam tego". I słyszę: „Prawdopodobnie papier jest w liceum, idź i odbierz". Ja: „Kurde, ale nie może ktoś inny tego odebrać?". Myśleli, sprawdzali: „Okazuje się, że nie. To jest po prostu papierek, który tylko ty dostaniesz do ręki, nikt inny".

I nagle – a mam środek wakacji, bo była krótka przerwa w programie, odwiedzałem znajomych na obozie jogi – muszę do Warszawy, do liceum... Rano przyjechał kierowca, ręce mi się spociły tak, jakby nie minęło te 25 lat.

A już moment, kiedy on podjechał pod szkołę, stanął i ja zobaczyłem te same drzwi, zobaczyłem liceum Kołłątaja... Tę trasę, którą pokonywałem rok w rok... Ta świadomość, że ja tam muszę wejść... Wszedłem – i całe gwiazdowanie, bycie ojcem dzieciom, wszystko zostało za drzwiami! Wszedłem – i już byłem uczniem. Już zobaczyłem woźne, ukłoniłem się, nie wiedziałem, dokąd się udać, pomyliłem kierunki. Wchodzę gdzieś, tam jakaś pani. „Proszę pani, ja tu po maturę swoją"... – czułem, że jestem nieprzygotowany, że czegoś nie wziąłem.

Wydali mi to, ale czym ja to okupiłem! Nawet jak już powiedzieli, że wydadzą, że ona mi to znajdzie, to do końca nie wierzyłem. Może coś się stanie, ktoś zadzwoni: „Pan tego nie otrzyma nigdy, bo pan nie doniósł zdjęcia albo stempelka".

Dostałem i jeszcze raz mnie trafiło – widziałem, że z polskiego miałem czwórkę i dwóję z matmy...

Potem zrobiliśmy konferencję: wyjaśniłem, że teraz jest amnestia maturalna, a ja kiedyś w związku z tym, że nie zdałem matury, byłem przez rok „z życia cofnięty". Tym samym rok później zacząłem karierę telewizyjną i skoro wymyślam średnio trzy dowcipy dziennie, to społeczeństwa pozbawiono iluś tam tysięcy moich dowcipów, które społeczeństwo mogłoby zobaczyć na antenie.

Giertych odciął się na innej konferencji prasowej. Powiedział, że wolałby, żebym nie wymyślał paru tysięcy dowcipów, tylko dwa albo trzy, ale za to dobre. Sprytnie! I oznajmił, że ma dla mnie podarunek – ten właśnie mundurek, więc stwierdziliśmy, że uszyjemy mu ciuch w stylu mojego programu, i nawzajem sobie te stroje podarujemy. Tyle że obaj przymierzymy. Zadzwoniłem do niego... rozmawiałem przez telefon z Romanem!

Jak było?

Znakomicie, powiedziałem: „Dzień dobry, czy z panem ministrem?".

Roman: „To ja, witam".

Ja: „A co pan robi?".

Roman: „Jadę pociągiem".

Ja: „Jak to – nie jeździ pan limuzyną?".

Roman: „Właśnie wbrew temu, co mówią, nie jeżdżę limuzyną ani nawet dwoma".

Ja: „Wie pan, szkoda, bo myśmy już przygotowywali żart na ten temat, że pan jeździ dwoma limuzynami i połowa Romana wchodzi do jednej, a połowa do drugiej".

A on się zaśmiał i mówi: „No, wie pan, wbrew pozorom, mam poczucie humoru, nie jest tak, jak nas w programie przedstawiacie, nie jesteśmy tacy denni, a w ogóle zapraszam pana do mnie, do MEN-u, na kawę".

Ja: „Dobrze, a czy mogę przyjść z ekipą i po prostu to pokazać?".

Roman: „Dobra, nie ma problemu".

Ale jakoś się nie mogliśmy zgadać i po dwóch miesiącach, już pod koniec tej serii nagrań programów, wpadłem na pomysł z tym rockandrollowym Świętym Mikołajem, który pod sejmem obdarowuje polityków.

Na Romana czekaliśmy cztery godziny. Mnie w tych ciuchach na teren sejmu w ogóle nie chcieli wpuścić, ale wreszcie Roman z ochroną do nas wyszedł i ten strój ode mnie mu wręczyliśmy.

Ochroniarz patrzył na mnie nieufnie i była też żona wicepremiera – ona chyba patrzyła na mnie najbardziej ostro. Czułem nauczycielski wzrok.

Dalej żałuję tej kawy niewypitej, mam zapędy Jacka Kuronia – chciałbym tak usiąść i z każdym pogadać.

Z Romanem o czym?

Na przykład powiedzieć mu, co myślę na temat reklamówki, że za szlabanem zostają dzieci, które wyglądają jak kapela rockowa, a wszyscy, którzy wyglądają, jakby jechali na piątą rano do Huty Warszawa – przechodzą. Przecież dostać w gębę można i od takich, i od takich. Dlaczego utwierdzamy schemat, że dzieci, które mają ćwieki albo glany, są dziećmi gorszymi – przecież nie z tym wiąże się agresja.

Jak oglądałem film z zakładania nauczycielowi kubła na głowę, to tam raczej byli krótko ostrzyżeni kolesie w dresach, a nie żadni rockandrollowcy. Ja się z tym nie godzę, że zespół Guns n'Roses nie może wejść do szkoły, a mogą wejść młodzi wyglądający na 40-latków.

Albo „trójki" Giertycha – dostałem od Radia Wawa dwie kanapy i podarowałem je szkole mojej córki. Stoją na korytarzu i młodzież na nich siedzi. Nagle Zośka do mnie dzwoni:

„Tata, wiesz, że za trzy dni będzie u nas »trójka« Giertycha, a właściwie »dwójka« (potem się okazało, że jedna osoba przyszła), i wiesz co, tato – musimy te kanapy wyrzucić".

„Jak to?"

„Bo byli w gimnazjum na Raszyńskiej i kazali im takie kanapy z korytarza wyrzucić, bo taka kanapa to zaproszenie do seksu, degrengolady i generalnie do współżycia".

Kurczę! Nawet za komuny nie było w szkołach „trójek" Lenina. Jakby taka wizytacja trafiła się w szkole za moich czasów, mnie by schowali, bo ewidentnie psułem widokówkę.

No dobrze, rozmowy z Romanem wyszły, ale jednak z pierwszą ligą władzy nie masz sukcesów w programie, nie zaprosiłeś Kaczyńskich, Dorna, Wassermanna...

Ale korespondowałem! Dostałem list nie tylko od Marcinkiewicza, ale i od prezydentowej Kaczyńskiej. Przed rokiem śmialiśmy się z tego, że prezydentowa wsiadała do samolotu z plastikową torebką z Galerii Centrum. Żartowaliśmy, że prześwietliliśmy tę torebkę rentgenem i znaleźliśmy dwie bułki i jabłko czy banana – nie pamiętam już.

Po paru dniach przyjeżdża do nas limuzyna. Prezydentowa przysłała list: „Panie Szymonie, oglądając program, zauważyłam, że prześwietlił Pan moją torebkę. W związku z tym podarowuję Panu zawartość tej torebki". Do listu były dołączone dwie świeżo zrobione kanapki i jajko. „Pozdrawiam Pana serdecznie, proszę nie nakruszyć".

Normalnie BOR-owcy to przywieźli. Mało ludzi chciało nam uwierzyć, że prezydentowa do nas napisała, ale tak było.

Co zrobiłeś z tymi kanapkami?

Zjadłem w programie z Cugowskim. Razem jedliśmy. No, nie te, ale podobne.

Dobrze, a te oryginalne?

Nie wiem, chyba w samolocie zjedli.

W każdym razie, udało mi się spełnić marzenie – z jednej strony politycy dostają od nas w programie po tyłku, drzemy z nich łacha, są parodiowani, robimy dziwne historie z ich twarzami czy w ogóle medialnymi wizerunkami. A z drugiej jakoś nas akceptują, bo widzą, że te żarty nie są agresywne.

Oczywiście najbardziej dostaje się sferze rządzącej – proszę dyrekcję TVN, żeby mi pozwoliła robić program, kiedy będzie inna opcja, bo chciałbym pokazać ludziom, że to nie jest „antypisowski program na zamówienie". Zacząłem robić *Szymon Majewski Show*, kiedy SLD było u władzy, i przez dwa miesiące śmiałem się z SLD, kiedy upadało. Mówili, że „kopię leżącego". Program zaczął być popularny akurat, gdy Kaczyńscy doszli do władzy – może i to ludzi ściągnęło, że my się z nich śmiejemy. Ale oni są tacy łatwi do obśmiania, bo dosłownie wszystko w nich prowokuje: nazwisko, wzrost, fizjonomia, głos, sposób mówienia. Wszystko!

Tymczasem gwiazdy show-biznesu wypadają w Twoim programie tak inteligentnie, błyskotliwie...

O, żeby tak było!

Jest. Ćwiczysz z nimi wcześniej dowcipy?

Raczej nastrój im się udziela. Za to ja ze sobą ćwiczę.

Co?

Mam problem z zagadywaniem ludzi. To nawyk jeszcze z radia. Jako radiowiec nie znoszę dziury, gdy jest cisza, wpadam w panikę – reakcja nerwowa. Ludzie mi to wyty-

kają i próbuję się tego oduczać. Trochę zaczynam słuchać, co do mnie mówią, zamiast samemu mówić.

I co słyszysz?

Goście mnie zaskakują. Ktoś, o kim wiem, że ma dużą ekspresję, i zakładam, że nie będzie problemu, właśnie ma problem. A ktoś, kogo się bałem, daje totalnego czadu.

Kto na przykład?

Daniel Olbrychski. Coś nieprawdopodobnego. Oczywiście zgadzam się, że jest to facet o bardzo mocnym ego, poczuciu wielkości, ale z drugiej strony ma tak kapitalne wyczucie anegdoty, takie showmańskie zapędy... Totalnie kupił publiczność. Jak opowiadał anegdotę, to od razu musiał wstać, ręce we wszystkie strony... Wszyscy patrzyli tylko na niego.

Ukradł Ci show?

Wbrew pozorom mam naprawdę wielką radość, kiedy się mogę schować do dziupli i dać komuś pole. Nie mam przed tym lęku. No, i ja też zrobiłem numer dosyć mocny, bo zacząłem parodiować jego modulację głosu, i to mi wyszło. Ludzie w okolicach czterdziestki wychowani na *Potopie* i jego manierze byli zachwyceni.

Twoje wspomnienia o innych gościach? Najlepiej niedyskretne.

Naprawdę zaskoczył mnie Piasek. Ten przez niektórych szufladkowany jako „śpiewający dla siusiumajtek" okazał się fajnym, wypoczętym człowiekiem. Przyszedł do programu superwesoły, zaczął wygłupy. A zdarza się, że ktoś przychodzi i klapa.

I?

Szukam winy w sobie, bywa, że kogoś zgotuję. Przyszedł Artur Barciś i – to był jeden z pierwszych programów – zrobiłem błąd. Przed wejściem powiedziałem mu, że jako „delikatny facet" będzie musiał na wizji na żywo dubbingować dialogi z *Psów* Pasikowskiego. Aktorowi nie należy czegoś takiego mówić! On się zgotował, cały czas czekał, aż będzie ten moment, że zacznie dubbingować.

To samo z Marią Wałęsówną. Wystartowałem obcesowo. Wymyśliłem ślubowanie na baczność, że nie będziemy rozmawiać o ojcu. Wszyscy na widowni wstali... ona nie wiedziała, czemu to służy, myślała, że ją wsadzam na jakąś minę. Przez resztę programu było trochę nerwowo.

No i pamiętam Kukiza, który przyszedł po przegranych przez Platformę wyborach parlamentarnych, a to kumpel Schetyny jest. Dzień po ogłoszeniu wyników pojawił się na nagraniu w takiej depresji, że pierwszy raz miałem wrażenie, że gość nie dokończy i wyjdzie. Nawet miałem ochotę powiedzieć: „Dobra, Paweł, widzę, że nie chcesz, to cześć". Nagle Kukiz rzucił tekst: „Ty tu żartujesz, a taka sytuacja w kraju!". Ludzie na widowni nie wiedzieli, co się dzieje. Joaśka Liszowska, która z nim występowała, była przerażona, zgotowała się przez to.

Co można zrobić w takiej sytuacji?

Tylko robić sobie jaja. Przyjąłem konwencję: „Dobra, ja teraz walczę o uśmiech Pawła Kukiza". Robiłem wszystko, żeby go rozśmieszyć, i udało się. W sumie wyszło na plus. Ale na nagraniu czułem, że jest słabo, wszystko siada. A przecież nie mogłem wziąć programu na siebie. Prowadzący musi zachować proporcje: nie przegiąć, nie zaszczekać. Pobudzić gościa, ale nie zająć jego miejsca.

Jak się przygotowujesz do rozmów?

Mam scenariusz, ale najbardziej lubię, jak połowa rozmowy rodzi się po prostu w trakcie. No i moja współpracowniczka,

Marta Więch, testuje mnie z dowcipów – to przezabawne. Rozmawiamy sobie o gościu.

Ja: „On jest lekarzem, a wiesz, mam taką śmieszną historię o lekarzach"...

Marta: „No, to opowiadaj!". Ona w moje śmieszne historie dziwnie nie wierzy.

Ja: „Nie, Marta, wiem, co mam powiedzieć na nagraniu".

Marta: „Nie, mów teraz". Czeka...

Ja: „No, wiesz, lekarz jak jest na przyjęciu, to wszyscy mu wyliczają dolegliwości, ten ma coś z kolanem, tamten co innego"...

Marta: „Tak? No i co, uważasz, że to jest śmieszne?!".

Ja: „No, teraz przesadziłaś. Już nic nie będzie śmieszne, jak mnie będziesz egzaminować – to zależy od sytuacji".

Uwielbiam ją – czujna dziewczyna z Urli pod Warszawą. Czasem do niej dzwonię, a ona właśnie mówi, że „idzie przez pola do PKS-u". To kosmos jakiś, dzwoni gwiazda TVN do bardzo ważnej członkini ekipy, a ona przez pola idzie i w słuchawkę jej wiatr wieje.

I na nagraniu jest śmiesznie czy drętwo?

Zwykle mniej więcej po pięciu, dziesięciu minutach nagrania wiem, że jest super, że będzie wspaniale, zabawa, jazda, ja chcę, goście chcą, aktorzy chcą!

A jak nie idzie?

Na ogół pomaga to, że jesteśmy dobrze przygotowani. Aktorzy mogą przecież zagrać kabaret na sto procent plus fajne reakcje z widowni. A mogą na 70 procent, opierając się głównie na warsztacie, ale jak się to zmontuje z innymi mocnymi fragmentami programu, i tak będzie dobrze. Nie ma rewelacji, błysku – ale to my wiemy. Widzowie patrzą na świeżo, siadają przed telewizorami, oglądają scenkę z *Prawych i Sprawiedliwych* – scenka co prawda nie najmocniejsza, ale widzów zainteresowało to, że na przykład śmiesznie mówię po niemiecku albo jestem śmiesznie przebrany. I zanim się zorientują, że ona jest gorsza od tej tydzień temu, to scenka minie, a oni zapamiętają fajny czołg – element scenografii.

Ale Ty wiesz, że jest albo świetnie, albo trochę gorzej.

Lubię, kiedy w czasie rozmowy nagle masz wrażenie, że jesteś w stanie zrobić wszystko, bo rozmowa tak płynie, tak się nakręca atmosfera, że wpadasz w taki rodzaj energii, szału, że jesteś w stanie... jak ja... tarzać się po podłodze i mieć po programie siniaka na twarzy. Raz to sobie nawet rozciąłem wargę. Po takich akcjach wracam do domu i myślę sobie „cholera"...

Wierzysz, że są ludzie, którzy mają „energię gwiazdorstwa" i gdy ona się uwalnia, to porywa tłumy?

Jedni mają to pod pełną kontrolą, zwykle są ponurzy, ale umieją się przestawić, kiedy muszą tak zarabiać na życie na estradzie. Inni się za taką energią chowają, ona służy im za tarczę. A czasem najwięksi showmani mają zły dzień z banalnego powodu, bo przeczytali w gazecie nieprzyjazny tekst o swoich problemach osobistych.

Z wszystkimi tymi przypadkami miałem do czynienia w programie. Taka rozmowa to najtrudniejsza rzecz. Kabaret, piosenkę można napisać, wymyślić. Grepsy – ułożyć. A rozmowa to pół na pół, może wyjść, może nie wyjść. Czasem to kompletne zaskoczenie – przychodzi Bożena Dykiel i po prostu daje czadu, wariuje.

Albo powstała już taka moda, że do mnie można przyjść i odczarować swój wizerunek. Bywa, że przychodzą ludzie, którzy chcą się zmienić, na przykład Michał Bajor, utożsamiany ze smutnym śpiewakiem, przyszedł i opowiedział jeden z kapitalniejszych dowcipów.

Chciało Ci się kiedyś tak śmiać, że musiałeś przerwać nagranie?

Było, było – tyle że nigdy nie przerywam. Przy Bajorze autentycznie popłakałem się ze śmiechu. Świetna okazała się też Cielecka. Padły mity o „zimnej, zdystansowanej blondynce". Ci, którzy mówią, że ona jest lodową królową, są baranami i kompletnie nie wiedzą, co jest właśnie fajnego w babkach.

Ktoś odmówił Ci udziału?

Raczej dotąd nie znaleźli czasu. Bardzo chciałbym, żeby moje zaproszenie przyjął Marek Kondrat, nawet miał przyjść, ale coś mu wypadło. Czasem odmawiają, bo mówią, że nie czują konwencji. Bartek Opania stwierdził, że „miło, że go zapraszam, lubi program, ale nie za bardzo odnajduje się w tej konwencji". Lubię taką szczerość. I myślę sobie, że żeby pójść do Wojewódzkiego, trzeba mieć jeszcze wyższy stopień gotowości i predyspozycji niż u mnie. U Kuby trzeba być bardzo czujnym, bo on jest w stanie niecnie kogoś wykorzystać, a u mnie raczej jest przyjaźnie.

Musicie z Wojewódzkim konkurować o gości?

Ten świat się zawęża, choć zawsze można zaprosić kogoś drugi raz. No, ale nie możemy mieć z Kubą tych samych gości w tym samym czasie. Na szczęście nie ja muszę prowadzić listę (śmiech). Jak ktoś odmówi, bo „woli u Wojewódzkiego", to współpracownicy mi tego nie mówią.

A Twoja własna „żartowa" forma – jak ją utrzymujesz, przecież też zdarza Ci się mieć gorszy dzień?

U mnie działają tak zwane nożyce – im bywa smutniej, tym bardziej praca jest dla mnie prozakiem. Pracując, rozweselam sam siebie. No, i pomaga drzemka. W środę – w dniu nagrania – od rana mam próby, kończymy o szesnastej, od osiemnastej nagrywamy. Ja muszę ze 20 minut pospać. Mam w naszym studio w Jankach własny blaszany kontener, nastawiam piecyk, żeby było ciepło, i śpię. Czasem zdarzy mi się nawet mieć sen. To dla mnie jedyny sposób, żeby być w odosobnieniu, bo na planie ludzie dosłownie nie dają mi spokoju. Próbowałem jakichś relaksacyjnych ćwiczeń oddechowych, ale to było głupie, kompletnie mi nie wychodziło.

Wracasz po nagraniu do domu i co robisz z tymi wszystkimi przeżyciami, tą energią? Pijesz setkę wódki? Kieliszek wina może?

Nie! Powiedziałem sobie bardzo jasno, że nie będę pił. Wiem, że w mojej branży jest duża pokusa. I rzeczywiście, lampka wina albo setka załatwiłyby pewne problemy, bo to daje pozorną redukcję obciążenia. Ale przyrzekłem sobie, że nie skończę jako alkoholik. Nie wybaczyłbym sobie, że poszedłem na taką łatwiznę.

A w odwrotną stronę – sztuczne wspomagacze?

Mam w sobie tak dużo energii, że nie muszę jej podtrzymywać. Ale jak energia we mnie kipi, to rzeczywiście są tacy, którzy podejrzewają, że sobie jakoś pomagam.

Chciałbym, żeby mnie zbadali w moim szczytowym momencie, czy to się da przełożyć na kilodżule czy coś takiego. **Ponoć w armii amerykańskiej przeliczają ludzi na wartości jak maszyny – stopień intelektualnego czy energetycznego pobudzenia i te sprawy. A mam takie momenty, że czuję się, jakbym był Hutą Warszawa.** Choć fakt faktem, po programie miewam zejścia. Nie mogę spać – zasypiam o trzeciej, czwartej w nocy, budzę się o szóstej rano i wiem, że mam dzień do tyłu. W głowie mi się przewala, że mogłem przecież tak, a nie tak zrobić. Przerabiam to przez dzień, dwa. Ale jest coraz lepiej, początki miałem takie, że pierwszej nocy po nagra-

Mam furę, komórę, karierę, rodzinkę... lecz zawsze będę maminsynkiem.

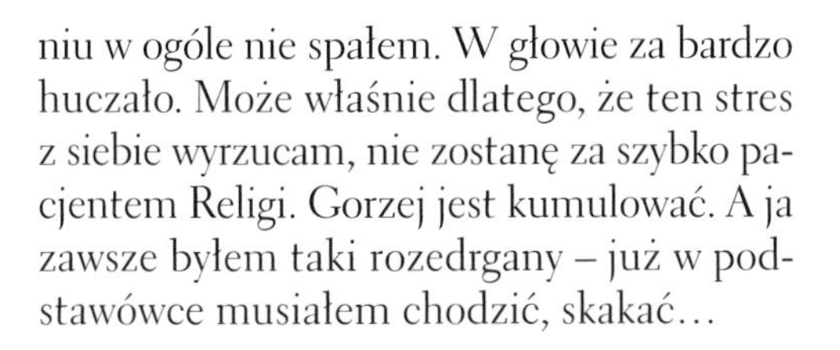

niu w ogóle nie spałem. W głowie za bardzo huczało. Może właśnie dlatego, że ten stres z siebie wyrzucam, nie zostanę za szybko pacjentem Religi. Gorzej jest kumulować. A ja zawsze byłem taki rozedrgany – już w podstawówce musiałem chodzić, skakać…

To najtrudniejsza praca w Twoim życiu?

Chyba tak. Czasem mam wrażenie, że to fizyczna robota. Zdarza mi się czuć, że bolą mnie mięśnie. Nie wiem po czym, aż przypomnę sobie, że takie rzeczy robiłem w studiu, że ciało ma prawo mnie boleć jak po treningu.

Rodzina się nie skarży? Ciężej z Tobą teraz wytrzymać?

Szczerze? Mówią, że tak. Przede wszystkim jest podstawowa pretensja, że mnie nie ma w domu. Kiedyś byłem częściej. A teraz, kiedy jest cykl produkcyjny, nie uczestniczę w życiu rodzinnym. Dotąd zawsze bywałem na zebraniach w szkole i tak dalej. Zajmowałem się bliskimi, dziś jestem wyjęty. Żałuję.

Jednak na zewnątrz trzymają moją stronę, żona dyskutowała z jedną dziewczyną, której mąż jest murarzem. Tamta powiedziała: „Mój mąż strasznie jest zmęczony". Magda: „Szymon też, miał nagranie". Ona: „Wiesz, chyba nie możemy tego porównywać". Magda: „Jestem przekonana, że to tak, jakby przerzucił wagon cementu".

Ale najbardziej dziwne i fantastyczne jest, że ja od tego zmęczenia, od tego wyrzucania z siebie energii, jestem uzależniony – ja to uwielbiam. Mam wtedy poczucie że mogę – kurczę – zrobić wszystko. Może mógłbym tym ludzi leczyć…

To jest przyjemne, bo czujesz przepływ energii, czy dlatego, że ludzi bawi patrzenie na Ciebie?

Wiem, że wśród fanów programu są małe dzieciaki. Usłyszałem, że to może dlatego, że dzieci wyczuwają fałsz i jak widzą kogoś, kto się naprawdę bawi, to wiedzą, że się po prostu bawi. Gdy ktoś gra rozbawionego, dzieci tego nie kupują. Mówią na takiego „fajnek".

Oczywiście przeczytałem, że rozpaczliwie próbuję zwrócić na siebie uwagę. Tak! Cała moja praca to próba zwrócenia na siebie uwagi. Ten program to jest wołanie o zwrócenie na mnie uwagi. Na tym polega ta praca. Ja mam wielką radochę z tej pracy, ale zarazem wiem, że mnie dużo kosztuje.

Czujesz mękę czy nie?

Nie! Wiem, że jest fajnie. Pod koniec 2006 roku był okres podsumowań i w dwóch poważnych gazetach napisano o moim programie bardzo dobrze. Na przykład dla „Przekroju" okazałem się „człowiekiem niosącym nadzieję"… zdjęcie obok papieża, przedzielony Beenhakkerem… to nieprawdopodobne, że byłem w sąsiedztwie. Staram się w tym nie zwariować, ale „człowiek niosący nadzieję"… Mojej zmarłej niedawno mamie, osobie religijnej, strasznie się to sformułowanie podobało.

A jak wyglądała Wasza rodzinna Wigilia?

Było bardzo wesoło. Przyjechała do nas cała rodzina – 25 osób. Przebrałem się za Mikołaja, spytałem teściową, czy była grzeczna, bo słyszałem, że nie – było nam wszystkim ze sobą dobrze razem.

Wujek Tadzik – straszny radykał z opcji narodowej (jego ojciec był w AK z moim dziadkiem) – tradycyjnie dyskutował ze mną o polityce. Ta dyskusja PPS – narodowcy ciągnie się u nas chyba od przedwojnia. Wtedy dziadek, który jeszcze nie był dziadkiem, krewnych nazywał faszystami, a oni jego komunistą, bo w PPS-ie był. Dziś wujek Tadzik uważa Platformę za komunistów. Diametralnie się nie zgadzamy, ale na moich programach się śmieje. Nie zrobiłem tego, ale mam zamiar go zapytać, co by było, gdyby usłyszał w Radio Maryja godzinną audycję o tym, że program Majewskiego jest narzędziem szatana. Jak by sobie to w głowie ułożył...

Kiedyś, gdy go poinformowałem, że będę pisał felietony do „Gazety Wyborczej", pomyślał, pomyślał i powiedział: „Wiesz co, to zażądaj dużo pieniędzy!". Pytam: „Dlaczego?". „Żeby rozłożyć Michnika!"

Komu zazdrościsz?

Takim ludziom jak Mick Jagger, ma pod siedemdziesiątkę, a biega i śpiewa dla tłumu. To by, kurczę, było moim marzeniem, taki tłum, 100 czy 50 tysięcy ludzi, i ja dla nich śpiewam. Oni śpiewają ze mną. A potem jadę do następnego miasta. Nie ma nic fajniejszego.

Bardzo mi się podoba, że publicznością w programie są teraz autentyczni fani, którzy do nas przyjeżdżają. Ktoś o nas napisał: „Śmiechy przy udziale płatnej widowni". To strasznie zabolało fanów programu, chcieli odpisać, że żadnej płatnej, bo oni sami z własnej woli przyjeżdżają – ze Szczecina, z Nowego Sącza jadą rodzinami. Robimy nagranie, które trwa pięć godzin, potem coś trzeba powtórzyć – przepraszam ich za to. Po wszystkim robimy sobie wspólne zdjęcia przez kolejną godzinę.

Kiedy przychodzi przerwa w nagraniach, co właściwie robisz?

Długo nie mogę wyhamować. Choć skończyłem, wewnątrz jeszcze przez dwa tygodnie pracuję. Potem zaczynam myśleć o następnej serii.

Straszne! A dla siebie co robisz?

Mam fazę dbania o zdrowie. Robię sobie wszelkie badania. Byłem też z synem w Zakopanem. Śmieszne – jadę z nim w góry na narty, a on na miejscu mówi, że nie chce jeździć na nartach.

I co?

Zostawał z rodziną górali albo szedł na Krupówki, a ja jeździłem na nartach. Mówił, że go denerwuje zakładanie nart, zakładanie butów, cały ten dym – chodzenie z nartami, pilnowanie kijków, krem na twarz... Wiedziałem przed wyjazdem, że tak może być, ale uznałem, że to taki absurd, że w to nie uwierzyłem.

Jest inny niż Ty.

Nagle zwróciłem uwagę, że on ma rację, mnie ten proces też zawsze denerwuje, tylko bardzo lubię śmigać po śniegu. A przeżyłem w górach coś niezwykłego. Jest tam pan Rysio, który ma show w Europejskiej w Zakopanem, śpiewa Krawczyka, Skaldów i jest tam niesamowitą gwiazdą. Poszliśmy na jego występ z synem, wchodzę, a... ludzie wstali i zaczęli klaskać. Kurde, czułem się jak jakiś Adam Małysz czy Józef Piłsudski.

Zrobiłem się czerwony, nie wiedziałem, jak się zachować. Kiedy jest taki szczery dowód uwielbienia 40 czy 50 osób, to naprawdę baranieję totalnie.

Jak zareagował Antek?

On jest właśnie na etapie negowania: „A bo tata się w telewizji wygłupia".

Z jednej strony był dumny, z drugiej trochę mu to przeszkadzało, on chciałby pobyć całkowicie ze mną, a tu inni zagarnęli tę przestrzeń.

Latem pojechaliśmy za granicę i nie było tego przez trzy tygodnie, co Antkowi niezwykle odpowiadało. To ja widziałem na plaży Skin i ona czuła się obserwowana, a my mieliśmy totalny spokój.

Generalną cechą moich dzieci jest wrażliwość, muszę to bardzo szanować. Ale trudno mi Antka i Zośkę szczegółowo scharakteryzować, bo oni mi tak wypełniają świat, że aż nie umiem ich zobaczyć z dystansu, z oddalenia – jacy są. Niesamowite.

Oczywiście widzę, że zmieniają się z dnia na dzień teraz. **Zośka rośnie jak na drożdżach, ogromnieje w oczach i też zaczyna mnie bardzo kontestować. A trudno jest kontestować kogoś, kto sam generalnie kontestuje** – łatwiej się buntować, jak się ma w domu ojca dyrektora banku niż ojca, który daje obszar wolności. Bo jak kontestować tę wolność? Czy uciekać w totalne uporządkowanie świata? – Zośka takich skłonności nie ma. Chce mieć jeszcze większą wolność, a zakres jest już spory. Musimy być z Magdą bardzo ostrożni, żeby nie przegiąć.

Jako ojciec nie masz teraz łatwo, dzieci stają się młodzieżą.

O, jak trudno było na Ibizie – tam przeżyłem dylemat konserwatywnego ojca z Polski! Pojechaliśmy z Rinkem – moim kumplem – na taki wyjazd półprywatny. Zabrałem Antka i Zośkę.

Jednego dnia wybraliśmy się z części „normalnej", części „dachowej" wyspy, do części bankietowo-zabawowej, pochodzić po knajpkach, pogapić się i tak dalej. Spotkaliśmy trzy piękne polskie modelki-hostessy. Mają po 19 lat, znają języki i od pół roku są w nieustannej podróży: Ibiza, Hiszpania, Francja – pokazy mody, jakieś hostessowanie w dyskotekach po 30 euro za godzinę. Miałem z nimi rozmowę i stwierdziłem, że ja – totalny liberał – w obliczu ich wyzwolenia dziadzieję i głupieję.

Widzę, dziewczyna ubrana normalnie, nic złego się nie dzieje, ale ona, kurczę, ma 18 lat i od pół roku sama w podróży!

Pytam: „Dziewczyno, a gdzie rodzice? Kto ci pozwolił?".

Ona: „Sama wyjechałam. A w ogóle, kto tam u was rządzi? Roman jest ministrem edukacji – to ja chrzanię, nie wracam!".

„Jak to, nie wracasz? Do Polski nie wracasz?"

„Nie, pierniczę, drętwy kraj! Nie chcę".

„Ale, Jezu, nad Wisłę – do wierzb płaczących, nawet tak trochę nie chcesz?"

„Nie, chrzanię to, nie chcę".

I mój ostateczny argument: „To zarób wielkie pieniądze, wróć za 20 lat z tymi wielkimi pieniędzmi, zainwestuj w Polsce".

„Ale po to ja je będę miała wielkie, żeby tu wydawać".

Ona nie chce wracać do Polski, a mnie się to w głowie nie mieści. Jestem na Ibizie na fajnych wakacjach, ale miałbym nie wrócić? I nie mówię wcale, że jestem „chory na Polskę", „nacjonalista jakiś", no, ale jak bym miał nie wrócić...

Potem kolejny szok. Pływamy z Antkiem w morzu, a tu para jakaś się w wodzie kocha. Gra wstępna, a potem normalna, regularna akcja. Skręciłem, udawałem, że nic nie widzę, chciałem Antkowi widok zasłonić... Liberał na luzie, kurczę! A tam nikt nie protestował. Pomyślałem, co by Roman zrobił na tej plaży – to była normalna rodzinna plaża, a nie ta słynna w Salinas.

Albo – idę tam z Antkiem, z córką i nagle na piachu opala się pięciu facetów z ptakami na wierzchu. Nie wierzę w to, co widzę. Pierwsze, co pomyślałem, to że pan może coś sobie położył – żółwia jakiegoś, szczura – i to tylko tak wygląda, to nie jest to, co myślę. Na nikim innym to nie robi wrażenia, a ja stoję jak wryty.

Potem wróciłem do Warszawy i dyskutowałem o tym z ludźmi, czy nas za 10, 20 lat czeka taka Ibiza. I czy to OK. Zdania były 50 na 50. Niektórzy mówili: stary, to przeginka – powinna być plaża gejowska albo naturystów, gdzie oni sobie siedzą, a nie, żebyś ty z córką ich oglądał. Inni uznali, że to właśnie jest OK.

Ja tam na tej plaży byłem tak zszokowany, że zacząłem robić jaja, próbowałem jakoś to rozśmieszyć. I Rinke zapytał: „Słuchaj, o co ci chodzi, boisz się, że masz mniejszego? Frustruje cię to? No, to nie patrz". Miałem z tym problem. Podróże kształcą i pobudzają do myślenia...

No, bo ja jestem jak najbardziej za tym, żeby dziewczyny na plażach w Polsce opalały się nago, ale faceci? (śmiech). No, ale też chciałbym, żeby jak te dziewczyny będą już w Sopocie sobie gołe leżeć, to żeby nikt ich nie zaczepiał, nie komentował albo straży miejskiej nie wzywał.

Byliśmy też z Rinkem w Holandii i przejeżdżaliśmy koło Arnhem, mówię: „Rinke, przejeżdżamy koło Arnhem, weź, pokażemy naszym chłopakom, bo tam lądowali polscy żołnierze".

On kompletnie zdumiony: „A po co im to pokazywać?".

Ja: „No, jak to – tam lądowali polscy żołnierze. Sosabowski, o jeden most za daleko, Market Garden – trzeba im to pokazać".

On: „Ale przecież ci dziadkowie dostali już w tym roku medale od rządu holenderskiego, sprawa załatwiona".

„No, ale twój dzieciak jest Polakiem, tak jak mój – pokażmy im to".

On: „Człowieku, ale po co się oglądać za siebie? Wy się ciągle za siebie oglądacie. Odetnijcie się. Nie patrzcie do tyłu". My rzeczywiście patrzymy do tyłu.

I ja – liberał – chciałbym wiedzieć, czy damy radę to wszystko umiejętnie połączyć: Polskę, Unię... Ci młodzi, co wyjeżdżają, są już Europolakami na pewno, to proces nieodwracalny.

A z drugiej strony, czy ci ze starej Europy będą nas słuchać? Próbowałem przetłumaczyć Holendrom na Ibizie, że od dupy strony stawiają dach z Ikei na letniskowym domu. Ja, wychowany na Adamie Słodowym, wiedziałem, że najpierw belki, potem dach. A nie 200 kilo złożyć i z ziemi podnosić. Oni nie chcieli dać sobie wytłumaczyć, byli oczywiście jacyś ranni, kłopoty... nie miałem satysfakcji, bo oni niczego nie zrozumieli. Na kolacji przez trzy godziny darli ze mnie łacha, że ja uciekłem z placu budowy, a oni postawili wspaniale dach. Nie wyobrażali sobie, że jakby zaczęli od nóg, poszłoby szybciej i bez rannych. Nie potrafili sobie nawet wyobrazić tego, co dla mnie było kompletnie oczywiste. Czy Europa tak nas będzie traktować? Takie to ja – „liberał z telewizji" – mam czasem dylematy.

Śmiejesz się z tego „liberała z telewizji" – jesteś nim czy nie?

Moja żona twierdzi, że w całym domu ja jestem najbardziej konserwatywny. Do dziś mam na przykład obsesję, że nie umiem mówić o kobiecych narządach i chorobach ginekologicznych. Mówię na to „sprawy kobiece". Żona drze ze mnie łacha: „Jakie sprawy kobiece? Równouprawnienie? Jakie kobiety mają sprawy? Powiedz, o co ci chodzi?". Ja: „O sprawy kobiece". „No dobra, ale o macicę, o co chodzi?"

Ona ma rację. Wyśmiewa mnie z koleżankami – to ten, co do „Playboya" pisze wyzwolone seksualnie i pełne seksualnego krasomówstwa felietony.

Jako dziecko słyszałem komentarz do pocałunku w filmie: „Tfu, wylizywanie brudów", może to przez to. I jak z tego przejść mentalnie do bzykania na plaży? Wyobrażam sobie stres słuchaczek Radia Maryja, gdyby nagle je na tę Ibizę przenieść.

Gdybyś mógł ze swojego aktualnego życia wyeliminować jedną rzecz, co by to było?

Wstyd. Wstydzę się oglądać swoje programy, a słyszałem, że są fajne.